zéro
diète

SOPHIE BLAIS

KARINE LAROSE

M. Sc. Kinanthropologie

zéro
diète 2

100 nouvelles recettes
saines et savoureuses

Catalogage avant publication de Bibliothèque et Archives nationales du Québec et Bibliothèque et Archives Canada

Blais, Sophie, 1985 mars 22-

        Zéro diète 2 : 100 nouvelles recettes saines et savoureuses
        Comprend des références bibliographiques et un index.
        ISBN 978-2-89568-648-4
        1. Régimes amaigrissants - Recettes. 2. Cuisine santé. 3. Livres de cuisine. I. Larose, Karine, 1977- . II. Titre.
III. Titre : Zéro diète deux.

RM222.2.B52 2015   641.5'635   C2015-941171-8

Édition : Marie-Eve Gélinas
Révision et correction : Sophie Sainte-Marie, Céline Bouchard
Couverture, grille graphique et mise en pages : Clémence Beaudoin
Photos des recettes : Sophie Blais
Photos des auteures : Sarah Scott
Maquillage : Richard Bouthillier

Remerciements
Nous reconnaissons l'aide financière du gouvernement du Canada par l'entremise du Fonds du livre du Canada
pour nos activités d'édition.
Gouvernement du Québec – Programme de crédit d'impôt pour l'édition de livres – gestion SODEC.

Les Éditions du Trécarré
Groupe Librex inc.
Une société de Québecor Média
La Tourelle
1055, boul. René-Lévesque Est
Bureau 300
Montréal (Québec) H2L 4S5
Tél.: 514 849-5259
Téléc.: 514 849-1388
www.edtrecarre.com

Dépôt légal – Bibliothèque et Archives nationales du Québec et Bibliothèque et Archives Canada, 2015

ISBN : 978-2-89568-648-4

Distribution au Canada
Messageries ADP inc.
2315, rue de la Province
Longueuil (Québec) J4G 1G4
Tél.: 450 640-1234
Sans frais : 1 800 771-3022
www.messageries-adp.com

Diffusion hors Canada
Interforum
Immeuble Paryseine
3, allée de la Seine
F-94854 Ivry-sur-Seine Cedex
Tél.: 33 (0) 1 49 59 10 10
www.interforum.fr

Sommaire

Préface

L'omniprésence de nourriture hypercalorique dans notre environnement est l'un des principaux facteurs responsables de l'épidémie de surpoids qui touche actuellement notre société. On ne le réalise pas toujours, mais nous sommes quotidiennement exposés à une quantité invraisemblable de produits alimentaires surchargés de sucre, de sel et de gras, même dans des endroits qui n'ont normalement rien à voir avec l'alimentation, comme les stations-service, la pharmacie ou même à l'hôpital. Si le tour de taille de la population a considérablement augmenté au cours des dernières décennies, ce n'est donc pas en raison d'un quelconque manque de volonté ou de la paresse ; il s'agit surtout du résultat de l'environnement obésogène dans lequel nous vivons, qui incite à manger à toute heure de la journée, quel que soit l'endroit où nous nous trouvons.

Pourtant, la nourriture n'est pas un produit de consommation comme les autres, et manger ne peut se résumer à une simple satisfaction de nos besoins énergétiques à l'aide de ces produits surchargés de calories. Ces plaisirs éphémères sont en complète contradiction avec la dimension historique et culturelle associée à l'alimentation, où la découverte des combinaisons alimentaires qui procurent le plus de plaisir et de bénéfices pour la santé a toujours représenté une des principales préoccupations de l'humanité. Il faut manger pour vivre, bien sûr, mais c'est en vivant pour manger que nous sommes véritablement devenus des humains.

Il faut donc repenser les bases de notre alimentation, redéfinir la place qu'elle occupe dans nos vies et, surtout, redécouvrir le plaisir de manger de « vrais » aliments. Comme l'illustrent admirablement Sophie Blais et Karine Larose dans ce livre, il est facile de réapprivoiser notre cuisine et d'utiliser les nombreux ingrédients sains auxquels nous avons la chance d'avoir accès pour concocter des plats simples mais délicieux, qui comblent nos besoins nutritionnels tout en permettant de contrôler adéquatement notre poids. Car il n'est pas nécessaire de se priver pour bien manger : le simple fait d'intégrer à l'alimentation une abondance de fruits, de légumineuses, de noix et de grains entiers permet à notre métabolisme et à nos sens de la satiété de fonctionner de façon optimale, et ainsi nous évite de manger au-delà de nos besoins réels. Le plus important est de réaliser que l'alimentation est plus qu'une simple façon d'apporter au corps l'énergie nécessaire à la survie : bien manger est un acte culturel unique, qui témoigne de la relation privilégiée entre l'homme et la nature. Cuisiner, c'est exprimer notre civilisation, notre raffinement culturel et notre distinction des autres animaux dont l'évolution nous sépare.

Richard Béliveau

Docteur en biochimie
Professeur émérite
Directeur scientifique, chaire en prévention et traitement du cancer de l'UQAM

Introduction

L'une des meilleures façons de s'assurer de la qualité de son alimentation est de cuisiner soi-même. Avec *Zéro diète 2*, nous vous offrons 100 nouvelles recettes faciles à préparer, qui vous permettront de poursuivre votre engagement à vous nourrir sainement sans sacrifier le plaisir de déguster des plats délicieux.

Dans le premier livre *Zéro diète*, nous vous avons proposé des recettes de repas et collations savoureuses qui respectaient des règles rigoureuses sur le plan nutritionnel. En cuisinant ces délicieuses recettes, vous avez compris qu'il était possible de préparer des repas sains, de satisfaire son appétit avec des portions raisonnables et d'obtenir, en prime, l'atteinte et le maintien de son poids santé.

Dans ce deuxième livre, nous vous présentons de nouveaux plats santé au goût du jour, avec des ajouts fort intéressants ! Nous avons toutefois pris soin de préserver les principes qui ont guidé la rédaction du premier, à savoir :

- la simplicité de préparation ;
- la qualité nutritionnelle des ingrédients, vérifiée par des nutritionnistes de Nautilus Plus membres de l'OPDQ (Ordre professionnel des diététistes du Québec) ;
- le goût ;
- la teneur calorique.

Pour réussir à intégrer de nouvelles habitudes, comme celle de manger sainement, il est souhaitable qu'une certaine forme de récompense accompagne la démarche. Quoi de mieux que de découvrir de nouvelles saveurs tous les jours en sachant qu'on allie le plaisir de bien manger à d'extraordinaires bienfaits pour sa santé !

Ce que vous retrouverez dans *Zéro diète 2*

En plus de vous offrir tout ce que vous avez adoré dans le premier livre, nous avons ajouté de nombreux éléments de nouveauté afin que vous puissiez acquérir des notions utiles en nutrition et effectuer des choix alimentaires éclairés au quotidien.

Seulement les meilleures recettes, recommandées par les nutritionnistes !

Tout comme dans le premier livre, toutes les recettes ont été analysées et approuvées par les

La contribution d'une blogueuse culinaire talentueuse et passionnée

Ceux et celles qui naviguent sur le blogue Je me prends en main (jemeprendsenmain.ca) connaissent déjà les nombreuses recettes de Sophie Blais. On lui doit aussi une très importante contribution au développement de la gamme de plats et collations Zéro Diète, de Nautilus Plus (zerodiete.ca). Ces recettes font l'unanimité : elles sont délicieuses, en plus d'être excellentes pour votre santé !

Sophie est passionnée de cuisine depuis son tout jeune âge. Après avoir observé et aidé sa mère dans la préparation de succulents repas, elle a rapidement pris les commandes et réalisé ses propres recettes inspirées de la débordante collection de livres de cuisine qui ornaient la bibliothèque familiale.

Il n'en fallait pas plus pour orienter son choix de carrière et l'amener à entreprendre des études collégiales à l'Institut de tourisme et d'hôtellerie du Québec. Sans renoncer à sa passion culinaire, elle a ensuite décidé de poursuivre ses études dans une autre branche et a complété un baccalauréat en administration des affaires à l'Université de Sherbrooke.

Depuis 2009, elle travaille à titre de directrice du marketing chez Nautilus Plus. Elle combine quotidiennement ses deux passions : le marketing et la cuisine. Elle a également lancé son propre blogue, intitulé Comfort Food santé (comfortfoodsante.com).

Compte tenu de son talent et du succès de ses recettes sur le blogue Je me prends en main, il allait de soi que Sophie crée les recettes du livre *Zéro diète 2* !

nutritionnistes de Nautilus Plus, notamment Marie-Josée Cabana et Sabrina D'Amore, qui y sont aussi coordonnatrices. De plus, chaque recette que vous vous apprêtez à cuisiner a été testée et a reçu le sceau d'approbation du comité de dégustation, composé de plus de 20 personnes. Seules les recettes appréciées de façon unanime ont été retenues pour le livre. Vous avez donc accès à la crème de la crème !

Plus précisément, vous pourrez déguster : **18 recettes de déjeuners, 30 recettes de dîners, 30 recettes de soupers, 4 recettes de vinaigrettes, 10 recettes de collations** et **8 recettes de desserts.**

Atteignez enfin votre objectif de poids

Vous retrouverez dans ce livre toute la démarche à suivre et les calculs à effectuer pour atteindre votre objectif de perte de poids ou de maintien de poids santé. Vous pourrez dès lors reconnaître votre profil alimentaire, puis, si ce n'est pas déjà fait, apprendre à utiliser la méthode du compte-portions.

Cette technique employée par nos nutritionnistes a permis à des milliers de personnes d'obtenir de superbes résultats dans l'atteinte et le maintien d'un poids santé. Elle vous assure de consommer, en bonne quantité, les nutriments essentiels pour subvenir à vos besoins, tout en respectant votre objectif de poids.

Toutes les recettes vous indiquent le nombre de portions pour chacune des catégories d'aliments, soit les légumes, les fruits, les féculents, le lait et ses substituts, les viandes et leurs substituts, le gras ajouté et le sucre ajouté. Vous serez alors en mesure de dresser un menu journalier en sélectionnant les recettes selon leurs apports nutritifs afin de combler vos besoins.

Pour ceux qui évitent le gluten

Si vous êtes intolérant au gluten ou désirez simplement vous en abstenir par choix, vous aurez le loisir de choisir parmi les recettes sans gluten ⊛. De plus, sachez que la grande majorité des recettes peuvent être adaptées en utilisant de la farine, des pâtes ou encore du pain sans gluten. Les aliments sans gluten sur le marché sont beaucoup plus nombreux et faciles à trouver qu'avant. Si le cœur vous en dit, nous vous invitons à expérimenter les recettes qui n'affichent pas la mention « sans gluten » et à remplacer les ingrédients qui en contiennent par d'autres qui en sont exempts.

Des collations et repas végétariens

Tout comme dans le premier livre *Zéro diète*, nous vous offrons une panoplie de plats végétariens qui combleront amplement vos besoins en protéines ! Les recettes végétariennes ⓥ ne contiennent aucune chair animale parmi les ingrédients. Des sous-produits comme du lait ou des œufs peuvent toutefois en faire partie. Découvrez ces recettes et intégrez-les progressivement dans votre menu hebdomadaire pour réduire peu à peu votre consommation de viande.

Chaque recette indique :

- La possibilité de préparer la recette en moins de 30 minutes
- La possibilité de préparer la recette en moins de 15 minutes
- La mention « sans gluten » (si tel est le cas)
- La mention « végétarien » (si tel est le cas)
- La possibilité de congeler le plat
- Le temps de préparation
- Le temps de macération (s'il y a lieu)
- Le temps de cuisson (s'il y a lieu)
- Le temps de réfrigération (s'il y a lieu)
- Le nombre de portions
- La possibilité de faire la recette à l'avance
- Le nombre total de calories*
- Le nombre de calories dans le plat
- Le nombre de calories dans l'accompagnement (s'il y a lieu)
- La quantité de macronutriments : glucides, protéines, lipides et fibres (en grammes)
- Le nombre de portions de légumes, fruits, féculents, lait et substituts, viandes et substituts, gras et sucre (méthode du compte-portions)

* Les collations et les desserts contiennent environ 200 calories.
Les repas (avec les accompagnements proposés) contiennent environ 400 calories.

Des recettes qui se préparent en moins de 15 minutes !

Bien appréciées dans le premier livre, nous vous proposons à nouveau des recettes pouvant être apprêtées en peu de temps. Plus précisément, vous trouverez 36 recettes pouvant être préparées en moins de 30 minutes 🕐 et même 29 recettes pouvant être préparées en moins de 15 minutes 🕐 ! Aisément identifiables grâce au petit chronomètre, elles vous faciliteront la tâche les jours où le temps pressera !

Étanchez votre soif d'apprendre !

Autre nouveauté, nous vous présentons des bulles informatives annexées à quelques-unes des recettes afin de cultiver vos connaissances sur la nutrition. Vous serez en mesure d'en apprendre un peu plus sur les propriétés de certains ingrédients ou encore de découvrir comment apprêter différemment un aliment. Vous pourrez ainsi acquérir des notions qui vous seront sûrement très utiles pour effectuer de meilleurs choix à l'épicerie et explorer de nouvelles avenues culinaires.

Les recettes coups de cœur de Karine

À titre de membre du comité de dégustation ayant jugé les recettes de cet ouvrage, j'ai pensé vous présenter celles qui m'ont particulièrement plu ! Un pictogramme sur certaines recettes vous indique qu'il s'agit de l'un de mes coups de cœur.

Que faire avec cet ingrédient ?

En plus de vous aider à manger sainement, notre objectif consiste à vous faire découvrir de nouveaux ingrédients ou à vous en suggérer certains que vous avez peut-être moins l'habitude d'utiliser pour cuisiner. Par souci d'économie, nous vous indiquerons à l'occasion les autres recettes du livre qui contiennent ces ingrédients. Vous éviterez ainsi le gaspillage et découvrirez différentes façons de les apprêter !

L'importance des fibres

La consommation de fibres est essentielle pour une santé optimale. C'est pourquoi nous avons décidé de vous indiquer la quantité de fibres que contient chaque repas ou collation.

Comme les fibres contribuent à retarder l'absorption des glucides, les diabétiques ont tout intérêt à connaître la quantité de fibres que contient un aliment ou un repas pour mieux gérer leur glycémie. Les autres bienfaits des fibres sont nombreux, dont la multiplication des bonnes bactéries dans l'intestin, la réduction du « mauvais » cholestérol sanguin et une meilleure gestion du poids corporel grâce à leur effet rassasiant.

Les essentiels
avant de commencer à cuisiner

Combien de calories devez-vous consommer chaque jour ?

Pour vous assurer de manger selon vos besoins et selon votre objectif de poids, il vous faut déterminer certains paramètres. Effectuez les quelques calculs qui suivent, puis familiarisez-vous avec la méthode du compte-portions. Vous serez alors fin prêt pour commencer à cuisiner !

Pour connaître la quantité de calories à consommer chaque jour, vous devez évaluer votre dépense énergétique totale journalière, soit la quantité totale de calories que vous dépensez (étape 3). Pour ce faire, nous vous invitons à évaluer d'abord votre métabolisme au repos (étape 1) ainsi que votre niveau d'activité physique quotidien (étape 2). Après quoi vous pourrez déterminer la quantité de calories à consommer et à dépenser chaque jour selon votre objectif de perte ou de maintien de poids (étape 4) et vous familiariser avec votre profil calorique (étape 5). Vous verrez aussi de quelle manière la pratique de l'exercice physique vous aidera à atteindre votre objectif de poids santé.

1 Calculez votre métabolisme au repos (MR)

Le résultat du calcul de votre métabolisme au repos représente le nombre de calories que votre corps dépense chaque jour pour effectuer ses fonctions vitales comme réfléchir, réguler sa température, faire fonctionner les organes, etc. Il est donc essentiel de vous assurer de consommer au minimum cette quantité de calories, peu importe que vous souhaitiez maintenir votre poids ou perdre du poids !

CALCUL DU MÉTABOLISME AU REPOS

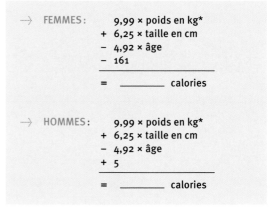

FEMMES :
9,99 × poids en kg*
+ 6,25 × taille en cm
− 4,92 × âge
− 161
= _____ calories

HOMMES :
9,99 × poids en kg*
+ 6,25 × taille en cm
− 4,92 × âge
+ 5
= _____ calories

* Pour connaître votre poids en kg, divisez votre poids en livres par 2,2.

2 Identifiez votre niveau d'activité physique (NAP)

Identifiez votre niveau d'activité physique quotidien moyen selon les descriptions données. Gardez en tête qu'on a tendance à surévaluer son niveau d'activité physique, alors assurez-vous de sélectionner le chiffre qui représente réellement votre niveau d'activité physique.

NIVEAU D'ACTIVITÉ PHYSIQUE		NAP
PERSONNE SÉDENTAIRE (peu ou pas d'exercice et travail passif)	⟶	1,2
PERSONNE LÉGÈREMENT ACTIVE (exercice léger ou sport de 1 à 3 jours par semaine)	⟶	1,375
PERSONNE MODÉRÉMENT ACTIVE (exercice modéré ou sport de 3 à 5 jours par semaine)	⟶	1,55
PERSONNE TRÈS ACTIVE (exercice rigoureux ou sport 6 ou 7 jours par semaine)	⟶	1,725
PERSONNE EXTRÊMEMENT ACTIVE (exercice rigoureux, sport 6 ou 7 jours par semaine et travail actif)	⟶	1,9

3 Calculez votre dépense énergétique totale (DET)

Multipliez les résultats obtenus aux étapes précédentes pour connaître le nombre total de calories que vous brûlez sur une période de 24 heures, ou votre dépense énergétique totale.

DÉPENSE ÉNERGÉTIQUE TOTALE

DET = MR × NAP = _____ calories

Ce résultat, votre DET, représente le nombre de calories que votre corps utilise généralement pour effectuer toutes vos activités régulières chaque jour (y compris votre MR). **En mangeant la quantité exacte de calories indiquée par ce calcul, vous devriez être en mesure de maintenir votre poids.** Selon votre objectif de poids santé, vous devrez ajuster la quantité de calories que vous consommez ainsi que la quantité d'exercice que vous devez effectuer (quantité de calories que vous dépensez à l'effort). Pour ce faire, suivez les indications à l'étape 4.

4 Déterminez la quantité de calories à consommer et à dépenser chaque jour

Si vous désirez perdre du poids, il faut créer un déséquilibre énergétique de manière à brûler plus de calories que la quantité consommée. **À titre indicatif, pour réussir à perdre une livre par semaine, il faut créer un déficit énergétique de 500 calories par jour. Ce déficit générera une perte de 3500 calories par semaine (500 calories × 7 jours), soit l'équivalent énergétique d'une livre de gras corporel.**

Pour ce faire, il existe trois méthodes.

Méthode 1 : bouger plus

Cela signifie que vous mangerez la même quantité de calories que votre DET, mais que vous hausserez votre niveau d'activité physique, ce qui accroîtra par le fait même votre dépense calorique. Ce choix exige une rigueur exemplaire pour augmenter votre niveau d'activité physique et peut être difficile à soutenir. Il n'est donc pas à la portée de tous.

Méthode 2 : manger moins

Cela signifie que vous couperez dans les calories consommées. Vous pouvez alors retrancher jusqu'à 500 calories de votre DET, pourvu que cette soustraction ne mène pas à un résultat inférieur à votre MR. Concrètement, cela veut dire que **vous ne devez pas manger moins que la quantité de calories nécessaire pour soutenir l'activité de votre métabolisme au repos.** Si vous êtes déjà très actif et prévoyez de continuer à l'être, misez davantage sur ce choix.

Méthode 3 : manger un peu moins et bouger un peu plus

Cela signifie que vous diminuerez légèrement votre apport calorique tout en augmentant votre dépense énergétique par l'exercice physique. Si vous êtes plutôt sédentaire, cette option est recommandée. Le fait d'intégrer l'exercice à votre mode de vie vous aidera à générer une dépense énergétique additionnelle tout en améliorant votre condition physique.

Exemple pour Martine, qui choisit la méthode 3

Martine, une femme de 45 ans, a un métabolisme au repos (MR) de 1450 calories et le niveau d'activité physique (NAP) d'une personne sédentaire (soit 1,2).

Calcul pour obtenir sa DET :

$$1450 \text{ (MR)} \times 1,2 \text{ (NAP)} = 1740 \text{ calories}$$

Le déficit énergétique journalier visé est de 500 calories, afin de perdre une livre par semaine. Comme son métabolisme au repos est de 1450 calories, elle ne peut retrancher plus de 290 calories pour générer un déséquilibre énergétique puisqu'elle doit s'assurer de manger au moins 1450 calories pour maintenir ses fonctions vitales. Elle soustraira donc 290 calories de sa DET, pour obtenir la quantité totale de calories à consommer. D'autre part, elle générera une dépense énergétique de 210 calories grâce à diverses activités physiques qu'elle effectuera quotidiennement.

Concrètement, voici le calcul :

A) Déficit énergétique journalier visé :
   500 calories

B) Quantité de calories à retrancher de l'alimentation = 290 calories

C) Quantité de calories à dépenser par l'exercice physique (500 – 290) = 210 calories

Pour déterminer le nombre de calories que Martine devra manger chaque jour :

1740 – 290 calories = 1450 calories

Chaque jour, Martine devra donc manger 1450 calories, en plus de s'assurer de dépenser 210 calories à l'aide de toutes les formes d'activités physiques qu'elle pourra effectuer.

À votre tour maintenant :

A) Déficit énergétique journalier visé :
_____ calories

B) Quantité de calories à retrancher de l'alimentation = _____ calories

C) Quantité de calories à dépenser par l'exercice physique (A – B) = _____ calories

Pour déterminer le nombre de calories que vous devrez manger chaque jour :

DET – B) = _____ **calories consommées**

(Assurez-vous que cette quantité n'est pas inférieure à votre MR !)

Si vous souhaitez maintenir votre poids, vous n'avez qu'à consommer la même quantité de calories que votre DET calculée plus haut. Si vous constatez une prise ou une perte de poids, vous devrez apporter quelques ajustements sur le plan de l'apport ou encore de la dépense calorique.

5 Déterminez votre profil calorique

Déterminer votre profil calorique vous permettra d'employer la méthode du compte-portions. Cette méthode est simple à utiliser et ne vous demande que de prendre connaissance du nombre de portions à consommer pour chaque catégorie, selon votre profil. Ainsi, vous n'avez plus qu'à vous assurer de combler vos besoins dans chacune des sept catégories pour satisfaire votre apport énergétique total quotidien tout en atteignant votre objectif.

Repérez maintenant dans le tableau votre profil calorique, celui qui se rapproche le plus du nombre de calories que vous devez consommer (résultat obtenu à l'étape 4).

Reprenons l'exemple de Martine. Vous remarquerez que le profil calorique le plus près de ses besoins est celui correspondant à 1400 calories.

Selon les informations indiquées au profil calorique de 1400 calories, elle devra s'assurer de consommer tous les jours :

- au moins 4 portions de légumes ;
- 2 portions de fruits ;
- 4 portions de féculents ;
- 3 portions de lait et substituts ;
- 2 portions de viandes et substituts ;
- 1 portion de gras ajoutés.

En d'autres mots, cela signifie que ses 4 portions de féculents devront être comblées avec des produits alimentaires faisant partie de cette catégorie d'aliments comme les pâtes, le pain, les craquelins, etc. Cette même logique s'appliquera pour toutes les autres catégories d'aliments.

En respectant votre profil calorique, vous vous assurerez de fournir à votre corps l'ensemble des nutriments nécessaires en quantité adéquate.

• • • • • •

Les profils caloriques

	Légumes*	Fruits	Féculents	Lait et substituts	Viandes et substituts	Gras ajoutés	Sucres ajoutés	Repas (400 cal)	Collations (200 cal)
1400	≥ 4	2	4	3	2	1	0	= 3	+ 1
1600	≥ 5	2	5	3	3	1	0	= 3	+ 2
1800	≥ 5	3	5	3	3	1	0 ou 1	= 3	+ 3
2000	≥ 6	3	6	3	3	2	0 ou 1	= 3	+ 2 (de 400 cal)
2200	≥ 6	3	7	3	4	2	0 ou 1	= 3	+ 3 (dont 2 de 400 cal)
2400	≥ 6	4	8	3	4	2	0 ou 1	= 3	+ 3 (de 400 cal)

* Les portions de légumes représentent un minimum à atteindre par jour. Ils peuvent être consommés à volonté.

Les catégories d'aliments

Voici des exemples d'aliments pour savoir à quoi réfère chacune des catégories.

CATÉGORIES	ALIMENTS
Légumes	La plupart des légumes frais, congelés ou en conserve ainsi que leurs jus
Fruits	La plupart des fruits frais ou congelés, mais aussi les fruits séchés et en conserve, et leurs jus
Féculents	Les céréales, les barres de céréales, les craquelins, les pains, les pâtes, le couscous, le quinoa, le riz et certains légumes plus sucrés (comme la patate douce, la pomme de terre, le maïs et les pois verts)
Lait et substituts	Le lait, les boissons de soya, les yogourts et le tofu dessert
Viandes et substituts	Les viandes et volailles, les poissons, les fruits de mer, les charcuteries, les œufs, les fromages allégés, les légumineuses, le tofu, les graines et les noix
Gras ajoutés (autres que ceux présents dans le lait et ses substituts ou les viandes et leurs substituts)	Les huiles, le beurre et certains fromages gras
Sucres ajoutés	Les sauces sucrées et les confiseries, les boissons gazeuses, les desserts, les bonbons, le chocolat

Quelle portion vous servir ?

La grosseur des portions nécessaires pour satisfaire vos besoins nutritionnels et votre appétit est probablement plus petite que la grosseur des portions que vous consommez actuellement. Grâce aux recettes qui vous sont proposées dans ce livre, vous apprendrez à vous servir des portions qui vous conviennent. Nous vous invitons toutefois à bien assimiler le concept de portions et à bien comprendre à quoi correspond une portion de fruits, de féculents, de viande, etc.

Pour ce faire, voici un tableau d'équivalences de portions qui présente, pour chacune des sept catégories, des exemples d'aliments et la quantité nécessaire pour constituer une portion. L'entraînement fera de vous un expert des portions !

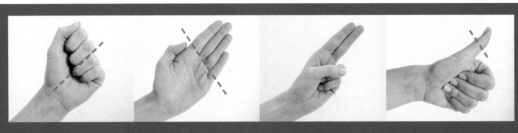

Les portions à portée de main

Vous n'êtes pas à l'aise avec les quantités présentées en millilitres (ml), en tasses (t.) et en onces (oz) ? Voici des équivalents mesurables avec un instrument qui vous suit partout : votre main !

- 125 ml ou ½ t. = la moitié de votre poing fermé
- 250 ml ou 1 t. = un poing fermé
  (1 portion de légumes crus, par exemple)
- 30 g ou 1 oz = deux doigts collés
  (1 portion de fromage, par exemple)

- 90 g ou 3 oz = la paume de la main
  (1 portion de viande, par exemple)
- 120 g ou 4 oz = la main, les doigts collés
  (1 portion de poisson, par exemple)
- 5 ml ou 1 c. à thé = le bout du pouce
  (environ ½ portion de gras, par exemple)
- 15 ml ou 1 c. à soupe = le pouce au complet
  (1 portion de sucre, par exemple)

Tentez de mémoriser ces quantités pour mieux évaluer les assiettes qu'on vous servira.

Équivalences de portions

CATÉGORIES D'ALIMENTS	ALIMENTS	ÉQUIVALENCES DE PORTIONS
LÉGUMES (environ 5 g de glucides, 2 g de protéines et 25 cal par portion)		
La plupart des légumes (voir p. 24)	Frais, surgelés ou en conserve, non sucrés	125 ml ou ½ t. (cuits) ou 250 ml ou 1 t. (crus)
Jus de légumes	Sans sel ajouté	125 ml ou ½ t.
FRUITS (environ 20 g de glucides et 80 cal par portion)		
La plupart des fruits (voir p. 25)	Frais, surgelés ou en conserve, non sucrés : orange, pêche, poire, pomme, etc.	L'équivalent d'une grosse pomme ou 175 ml ou ¾ t.
La plupart des fruits	Séchés, sans sucre ajouté	¼ t.
Jus de fruits	Pur à 100 %	175 ml ou ¾ t.

FÉCULENTS (environ 20 g de glucides, 3 g de protéines et 120 cal par portion)		
Barres de céréales	Kashi ou Kashi croquantes	1 barre ou 1 sachet
Céréales à déjeuner froides	Fibre 1	125 ml ou ½ t. (env. 30 g)
	Bran Flakes (Kellogg's)	250 ml ou 1 t. (env. 30 g)
Céréales à déjeuner chaudes	Gruau nature	80 ml ou ⅓ t. avant cuisson (env. 30 g) ou 1 sachet
Craquelins ou biscottes	Biscottes (Ryvita ou Wasa)	3
Pain (de grains entiers idéalement)	Sans sucre ni gras ajoutés	2 tranches (env. 60 g)
	Tranché régulier	1 tranche (env. 40 g)
	Pita	1 moyen (13 cm ou 5 po)
Produits céréaliers	Pâtes	125 ml ou ½ t.
	Riz	125 ml ou ½ t.
Légumineuses	Lentilles, pois chiches, haricots rouges et autres, etc.	125 ml ou ½ t., cuites (si l'apport est supérieur à ½ t., référez-vous à la catégorie des viandes et substituts)
Légumes plus sucrés	Pomme de terre, patate douce	1 petite (5 × 5 cm ou 2 × 2 po), l'équivalent d'une clémentine ou la moitié d'une patate douce moyenne
LAIT ET SUBSTITUTS (environ 15 g de glucides, 8 g de protéines et 120 cal par portion)		
Lait	2 %, 1 % ou 0 % M.G.	250 ml ou 1 t.
	Au chocolat, 1 % M.G.	200 ml ou 1 berlingot
Boisson de soya	Originale non sucrée	250 ml ou 1 t.
Yogourt	Nature, 2 % M.G. ou moins	175 ml ou ¾ t.
	Grec ou régulier, à la vanille ou aux fruits, 2 % M.G. ou moins	125 ml ou ½ t.
Tofu	Dessert	100 g ou 3 oz

CATÉGORIES D'ALIMENTS	ALIMENTS	ÉQUIVALENCES DE PORTIONS
VIANDES ET SUBSTITUTS (environ 20 g de protéines et 150 cal par portion)		
Viande et volaille	Maigre ou extra-maigre	90 g ou 3 oz ou l'équivalent d'un jeu de cartes, cuite
Poisson	Morue, sole, tilapia, etc.	120 g ou 4 oz, cuit
Fromage allégé	20 % M.G. ou moins (cheddar, suisse ou autre)	60 g ou 2 oz ou l'équivalent de 4 doigts
Œufs	Entiers, frais	2 moyens
Yogourt grec	Nature, 2 % M.G. ou moins	175 ml ou ¾ t.
Légumineuses	Lentilles, pois chiches, haricots rouges et autres, etc.	250 ml ou 1 t., cuites (lorsque l'apport équivaut à 1 t., il représente 2 portions, dont 1 de féculents et 1 de viandes et substituts)
Tofu	Ferme ou extra-ferme	100 g ou 3 oz
GRAS AJOUTÉS (environ 10 g de lipides et 90 cal par portion)		
Gras et huiles	Beurre ou margarine non hydrogénée, huile végétale (canola, olive, tournesol ou autre)	10 ml ou 2 c. à thé
Beurre de noix	Beurre d'arachide ou de noix	15 ml ou 1 c. à soupe
Fromage régulier	Plus de 20 % M.G. (parmesan, brie, camembert ou autre)	30 g ou 1 oz
Légume	Avocat	¼
SUCRES AJOUTÉS (environ 15 g de glucides et 60 cal par portion)		
Sauces sucrées et confiseries	Sirop d'érable, miel	15 ml ou 1 c. à soupe
Desserts	Crème glacée, yogourt glacé, sorbet ou pouding	60 ml ou ¼ t.

Note : les équivalences de portions sont précises à 5 g de glucides près, à 5 g de protéines près, à 5 g de lipides près et à 20 calories près.

Manger mieux pour vivre en meilleure santé, plus longtemps !

Au-delà de la perte de poids, ce que nous mettons dans notre assiette influe grandement sur notre santé ; de nombreuses études scientifiques le confirment. Saviez-vous que plus des deux tiers des maladies chroniques peuvent être évitées en adoptant de bonnes habitudes de vie, comme s'abstenir de fumer, faire de l'exercice régulièrement et s'alimenter sainement ? En appliquant ces trois simples règles, nous détenons un immense contrôle sur la qualité de notre vie.

Le déséquilibre interne créé par la consommation excessive d'aliments surchargés en calories et dépourvus d'éléments nutritifs essentiels est directement lié au développement de la majorité des cas de cancers, de diabète de type 2, de maladies cardiovasculaires et de maladies neurologiques dégénératives. En consommant chaque jour des légumes, des fruits et des grains entiers, on fournit à son corps les vitamines, les minéraux, les fibres, les antioxydants et tous les autres composés phytochimiques nécessaires pour assurer son bon fonctionnement.

En prenant connaissance du contenu des bulles informatives, vous comprendrez l'importance de consommer une variété d'aliments pour tirer profit des différents bienfaits qu'ils procurent.

Écouter sa faim, pas ses émotions !

Les portions suggérées pour les repas et les collations de ce livre devraient combler vos besoins. Mais il n'en demeure pas moins que votre meilleur allié est le puissant ordinateur interne de gestion de vos besoins : votre cerveau ! Quand on sait écouter et respecter les signaux de faim et de satiété qu'il nous envoie, le retour à un poids santé s'effectue naturellement. Plus facile à dire qu'à faire, direz-vous. En vous servant des portions qui correspondent à celles présentées au tableau d'équivalences de portions, vous découvrirez la sensation d'être rassasié et non bourré.

Quand on a perdu ses repères et qu'on salive à la vue d'un aliment, il importe de rationaliser le tout : ai-je réellement faim ou ai-je simplement envie de combler un vide émotionnel ? Évitez de répondre à un besoin émotionnel avec de la nourriture. Dans ces situations, les choix alimentaires sont souvent problématiques. Il y a bien d'autres façons de contrer votre ennui, votre tristesse et vos déceptions. Dressez une liste des activités (passives et sportives) qui vous procurent du plaisir et gardez-la près de vous pour les moments à risque ! De même, méfiez-vous des occasions de célébration, car elles aussi peuvent mener à la surconsommation.

Les plats congelés, bons ou mauvais ?

Bien que cuisiner soi-même ses repas demeure la meilleure façon de contrôler la qualité et la quantité de ce qu'on mange, les plats congelés peuvent parfois s'avérer une solution pratique. La majorité des plats industriels congelés contiennent beaucoup trop de gras et de sel, et trop peu de protéines et de fibres, et sont donc des choix peu nutritifs et non recommandables. Les plats dits «allégés» ou «faibles en gras» ne sont pas non plus un gage de qualité. Ne vous laissez pas berner par la publicité et gardez en tête que pour qu'un repas soit considéré santé, tout comme ceux que vous cuisinez à la maison, il doit respecter certains critères :

- au moins 400 calories par portion ;
- au moins 15 g de protéines ;
- au moins 4 g de fibres ;
- 650 mg de sel ou moins ;
- 20 g de lipides ou moins[1].

La gamme de plats congelés Zéro Diète constitue une solution pratique, saine et savoureuse répondant à tous ces critères. Ils sont une option santé dans les moments où on a moins de temps pour la popote ! Découvrez la variété de repas, collations et barres nutritives Zéro Diète en parcourant le site zerodiete.ca.

---

1   Normes adaptées de Santé Canada et de l'Agence canadienne d'inspection des aliments.

Des équivalences de fruits et de légumes pour plus de variété !

L'industrie agroalimentaire nous offre dorénavant une grande variété de fruits et de légumes, été comme hiver. Certains aliments sont toutefois plus accessibles et meilleurs en saison. Comme les recettes proposées dans ce livre peuvent être cuisinées toute l'année, vous pouvez choisir de remplacer certains fruits ou légumes par d'autres de saison. Par exemple, si vous n'avez pas de pêche et qu'une recette vous indique d'accompagner votre déjeuner d'une nectarine, vous pourriez, d'après la liste, la remplacer par 3 prunes, 1¼ t. de framboises ou par un des autres fruits proposés à la page 25.

Lorsqu'on remplace un aliment par un autre, on doit en chercher un qui offre sensiblement les mêmes propriétés nutritives et la même quantité de calories. Pour ce qui est des légumes et des fruits, la teneur en calories est similaire pourvu que vous respectiez les quantités indiquées. Vous pouvez donc remplacer n'importe quelle portion de fruits ou de légumes par une autre, équivalente, qui apparaît sur la liste. L'important sera de remplacer un fruit par un autre fruit ou un légume par un autre légume. La grande majorité des légumes peuvent être consommés à volonté en raison de leur faible contenu en glucides. Les légumes qui contiennent plus de glucides ont été classés avec les féculents (voir la liste ci-contre). Pour les autres catégories d'aliments, fiez-vous au tableau des équivalences de portions (voir p. 18) et remplacez un aliment appartenant à un groupe d'aliments par un autre du même groupe en respectant la portion, et le tour est joué !

Gardez toujours en tête de varier votre consommation de fruits et de légumes, mais aussi de grains, de poissons, de produits laitiers, etc. Cela demeure la meilleure façon de fournir à votre corps tous les nutriments dont il a besoin pour fonctionner de façon optimale et demeurer en bonne santé ! Un truc : donnez-vous pour objectif de consommer au moins un nouvel aliment chaque semaine.

Équivalences de légumes féculents (1 portion, environ 80 calories)

Ces légumes ne font pas partie de la catégorie des légumes, mais il ne faut pas les éviter. Il faut plutôt les intégrer à titre de féculents.

⟶	**Maïs**	¾ t.
⟶	**Patate douce**	¾ t.
⟶	**Petits pois**	¾ t.
⟶	**Pomme de terre**	½ t.

Équivalences de légumes (1 portion, environ 25 calories)

→	Artichaut	½ petit ou ¼ t. cuit ou en conserve	Concombre	½ ou 1 t. cru
→	Asperges	6 tiges crues ou cuites	Courge d'hiver	¼ t. cuite
→	Aubergine	1 t. crue en cubes ou ½ t. cuite	Courgette	½ moyenne ou 1 t. hachée
→	Bette à carde	3 t. crue ou ½ t. cuite	Cresson	4 t. cru ou ½ t. cuit
→	Betterave	⅜ t. crue ou ¼ t. cuite	Épinards	3 t. crus ou ½ t. cuits
→	Bok choy	2 t. cru ou 1 t. cuit	Endive	2 crues
→	Brocoli	⅝ t. cru ou ⅜ t. cuit	Fenouil	¼ bulbe cru
→	Carotte	⅜ t. crue ou cuite	Fèves germées	¼ t. crues ou cuites
→	Céleri	1 t. cru ou cuit	Germes de luzerne	2 t.
→	Céleri-rave	¼ t. cru ou cuit	Haricots jaunes ou verts	⅜ t. cuits
→	Champignons	5 crus ou cuits	Laitue	2 t. crue
→	Châtaignes d'eau	¼ t. crues ou cuites	Oignon et oignon vert	¼ t. cru ou ⅛ t. cuit
→	Choux de Bruxelles	½ t. crus ou ⅜ t. cuits	Poireau	1 t. cru
→	Chou vert et rouge	¾ t. cru ou ½ t. cuit	Pois mange-tout	⅜ t. cru ou ¼ t. cuit
→	Chou chinois	½ t. cru ou ⅜ t. cuit	Poivron	½ moyen
→	Chou-fleur	¾ t. cru ou ⅝ t. cuit	Radis	22 crus
→	Citrouille	¾ t. crue ou ⅜ t. cuite ou en conserve	Rutabaga	⅜ t. cru ou ¼ t. cuit
			Tomate	1 moyenne fraîche ou ¼ t. en conserve

*Avocat : n'est pas considéré comme un légume, mais comme un bon gras (voir p. 20) !

Équivalences de fruits (1 portion, environ 80 calories)

Abricots	4		Mangue	½ grosse ou 1 petite
Ananas	1 t. (si en conserve, sans sucre ni sirop)		Melon d'eau	1 ¼ t.
Banane	1 petite		Melon miel	1 ¼ t.
Bleuets	1 t.		Mûres	1 ¼ t.
Canneberges fraîches	2 t.		Nectarine	1 grosse
Cantaloup	1 t.		Orange	1 petite
Caramboles	3		Pamplemousse	1 petit
Cerises fraîches	20 ou 1 t.		Papaye	1 ½ t.
Clémentines	2		Pêches	2 ou ½ t. en conserve
Dattes séchées	3		Poire	1 petite ou ½ t. en conserve
Figues fraîches ou séchées	2 petites		Pomme	1 moyenne ou ½ t. de compote non sucrée
Fraises entières	2 t.		Pruneaux séchés	3 moyens
Framboises	1 ¼ t.		Prunes	3
Groseilles	1 ¼ t.		Raisins secs	50 ou ⅙ t.
Kakis	2		Raisins verts ou rouges	20 gros
Kiwis	2		Rhubarbe	2 t.
Litchis	13 (si en conserve, sans sucre ni sirop)		Tangerines	2 petites
Mandarines	2 petites			

Les incontournables du garde-manger santé

Ayez à portée de la main des ingrédients sains en vous procurant ces indispensables. Pourquoi ne pas en profiter pour faire le ménage de votre garde-manger et vous débarrasser des aliments moins nutritifs ? Quand on n'en a pas, on n'en mange pas !

DANS VOTRE GARDE-MANGER

- Pâtes à grains entiers
- Céréales à grains entiers
- Légumineuses en conserve
- Huile d'olive
- Farine à grains entiers
- Assaisonnements (poivre, ail en poudre, herbes et épices variées, vanille, miel, vinaigres de cidre de pomme et balsamique, etc.)
- Bouillon à teneur réduite en sodium
- Tomates en conserve et pâte de tomates
- Riz, couscous, quinoa
- Sirop d'érable
- Flocons d'avoine
- Compote de pommes non sucrée
- Graines de lin, graines de chia et autres
- Lait de noix de coco allégé

DANS VOTRE RÉFRIGÉRATEUR

- Œufs
- Yogourt grec nature 0 %
- Lait 1 %
- Fromage allégé
- Tofu
- Noix et graines
- Beurres de noix
- Légumes
- Fruits
- Hummus
- Olives
- Herbes fraîches
- Condiments (moutarde de Dijon, sauce soya à teneur réduite en sodium, sauce piquante, mayonnaise allégée, etc.)

DANS VOTRE CONGÉLATEUR

- Légumes et fruits congelés
- Pain à grains entiers (tortilla, pita, etc.)
- Fruits de mer
- Poissons et viandes en portions individuelles

Faire de meilleurs choix

Il peut être difficile de faire les bons choix, à l'épicerie, parmi les aliments légèrement transformés, comme les pains, les craquelins, les barres tendres et les fromages.

Voici donc, pour vous aider, une liste d'aliments avec les marques de commerce recommandées afin de vous guider quant aux meilleurs choix à effectuer lors de vos prochaines visites à l'épicerie.

Barres tendres et craquelins

Voici quelques critères à respecter pour sélectionner les barres et les craquelins.

• • • • •

→ ≤ 150 calories

→ ≤ 5 g de lipides

→ ≤ 2 g de gras saturés et 0 gras trans (le produit est alors considéré comme étant faible en gras saturés)

→ ≤ 140 mg de sodium (le produit est alors considéré comme étant à teneur réduite en sodium)

→ 15-20 g de glucides

→ ≥ 2 g de fibres (le produit est alors considéré comme étant une source de fibres)

→ le moins possible de sucre (si le produit en contient, il devrait se trouver très loin dans la liste des ingrédients). **Pour les barres, le critère est de ≤ 10 g de sucres, ou ≤ 15 si les sucres proviennent des fruits.**

LES BONS CHOIX DE BARRES TENDRES

• **Barres pré-entraînement ou de récupération** Zéro Diète

• **Barres Go pure chocolat noir maya ou canneberges-grenades** Leclerc

• **Barres granola tendres biologiques citrouillépices** Nature's Path

• **Barres granola petits fruits et noix** Compliments balance équilibre

• **Barres Nature miel, canneberges et amandes** Quaker

• **Barres granola Boîte à Lunch aux petits fruits ou barres tendres Mélange du randonneur fruits et noix** Val Nature

• **Barres granola au chia Canneberges et citron ou Moka foncé et amandes** Kashi

28

LES BONS CHOIX DE CRAQUELINS

- Croustipain 5 grains (6 tranches) ou Craquelins légumes rôtis (8 craquelins) Kavli

- Croustipain multigrain (2 tranches) Wasa

- Pain croustillant au seigle complet, herbes de méditerranée (3 tranches) Ryvita

- Craquelins Triscuit (8 craquelins) Christie

- Craquelins biologiques aux herbes, sans gluten (13 craquelins) Mary's

- Tartines à la châtaigne ou autre, sans gluten (6 tranches) Le Pain des fleurs

- Craquelins de riz, sans gluten (15 craquelins) Brown Rice Crisps

Pains

Les bons choix de pains à grains entiers

Voici quelques critères à respecter pour sélectionner les pains à grains entiers.

---> ≥ 2 g de fibres
---> ingrédients de qualité supérieure
---> pas de sucre ni de gras ajoutés

2 TRANCHES = 1 PORTION DE FÉCULENTS

- Pain allongé 9 grains entiers St-Méthode
- Pain 100 % blé entier germé St-Méthode
- Pain multigrain quinoa et lin Le Choix du Président

1 TRANCHE = 1 PORTION DE FÉCULENTS

- Pain kamut intégral Inéwa

- Pain Vitalité grains entiers sans gras ni sucre ajoutés ou 100 % blé entier (sans gras ni sucre ajoutés) Country Harvest

- Pain Blé moulu à la meule Première Fournée ou Multi-céréales Première Fournée Weston

- Pains biologiques Boulangerie Ace

- Pain 12 céréales ou paysan 100 % blé entier Boulange des Campagnards

Un bon choix de pain blanc

Si vous n'aimez pas le pain de grains entiers, voici les critères à respecter pour sélectionner un pain blanc.

⤑ **riche en fibres**

⤑ **contient des farines intégrales**

• • • • •

2 TRANCHES = 1 PORTION DE FÉCULENTS
• Miche blanche Club St-Méthode

Les bons choix de pains sans gluten

Voici quelques critères à respecter pour sélectionner les pains sans gluten (peu de pains sans gluten répondent à ces critères).

⤑ **faible en gras**

⤑ **excellente source de fibres**

• • • • •

1 TRANCHE = 1 PORTION DE FÉCULENTS
• Pain sans gluten (graines de chia) Compliments

2 TRANCHES = 1 PORTION DE FÉCULENTS
• Miche multigrain sans gluten St-Méthode

Fromages

Choisissez des fromages qui contiennent moins de 20 % m.g.

• • • • • •

LES BONS CHOIX DE FROMAGES

- Cheddar doux léger 18 % m.g.
  Black Diamond
- Cheddar doux 18 % m.g.
  L'Ancêtre (dans la section bio)
- Mozzarella en tranches
  16 % m.g.
  Compliments balance équilibre
- Jarlsberg tranché (léger) 16 % m.g.
  Agropur
- Le Seigneur de Tilly 15 % m.g.
  Fromagerie Bergeron
- Féta léger 13 % m.g.
  Saputo

- Mini Babybel léger 12 % m.g.
  Babybel
- Brie léger - fromage affiné
  à pâte molle 12 % m.g.
  PC Menu bleu
- Ricotta léger 5 % m.g.
  Tre Stelle
- Cocktail Bocconcini lite 13 % m.g.
  Saputo
- Fromage Cottage 1 %
  Sealtest

On commence à cuisiner !

Maintenant que vous connaissez votre profil calorique et savez comment utiliser toutes les informations fournies pour chaque recette, il est temps de « popoter » ! Sans plus tarder, nous vous invitons à découvrir les 100 nouvelles recettes savoureuses spécialement conçues pour ce deuxième livre de recettes *Zéro diète*.

Bon appétit !

déjeuners

Pain doré croustillant panko et noix de coco

PRÉPARATION : 10 MIN   CUISSON : 15 MIN   PORTIONS : 4

3 œufs

80 ml (⅓ tasse) de lait 1 %

5 ml (1 c. à thé) d'extrait de vanille

60 ml (¼ tasse) de panko
(chapelure japonaise) (voir aussi p. 152)

60 ml (¼ tasse) de noix de coco râpée
non sucrée (voir aussi p. 190, 204, 208)

1 baguette (250 g) de pain de blé entier,
tranchée

5 ml (1 c. à thé) d'huile d'olive

190 ml (¾ tasse) de yogourt grec
nature 0 %

80 ml (⅓ tasse) de sirop d'érable

2 tasses (300 g) de fraises fraîches,
tranchées

- Préchauffer le four à 100 °C (200 °F).

- Dans un bol, battre les œufs avec le lait et l'extrait de vanille. Réserver.

- Dans une assiette, mélanger la panko et la noix de coco.

- Tremper les tranches de pain dans le mélange d'œuf, puis dans le mélange de panko.

- Dans une poêle antiadhésive, chauffer l'huile d'olive à feu moyen-doux et cuire les tranches de pain dans la poêle chaude, environ 2 min de chaque côté.

- Réserver les pains dorés au four sur une plaque de cuisson.

- Dans un bol, mélanger le yogourt et le sirop d'érable. Réserver.

- Au moment de servir, garnir les pains dorés du mélange de yogourt à l'érable et de fraises.

	CALORIES	GLUCIDES (g)	PROTÉINES (g)	LIPIDES (g)	FIBRES (g)	FRUITS	FÉCULENTS	VIANDES ET SUBSTITUTS	GRAS	SUCRE
PORTION	415	59	20	12	7	½	1	½	½	1

LES BIENFAITS DE LA NOIX DE COCO

- La moitié des acides gras qu'elle renferme sont sous forme d'acide laurique, qui a comme effet d'augmenter le «bon» cholestérol.

- Comme elle est riche en fibres alimentaires, elle procure un sentiment de satiété en plus de contribuer à prévenir la constipation.

- Elle constitue une bonne source de manganèse et de cuivre. Elle contient aussi du fer, du phosphore, du potassium et les vitamines B_5 et B_6.

- Utilisez-la dans vos plats sucrés comme les smoothies et les barres, et dans vos collations et repas salés comme les soupes ou mijotés asiatiques.

À SAVOIR SUR LA PACANE

- Possédant un fort potentiel antioxydant, ce fruit à écaille et oléagineux, comme l'amande, est riche en matières grasses insaturées, en fibres et en arginine le rendant bénéfique pour la santé cardiovasculaire.

- À titre indicatif, la pacane est toutefois considérée comme une noix et non comme un fruit dans les catégories d'aliments de la méthode du compte-portions.

Pain aux poires, sirop d'érable et pacanes

190 ml (¾ tasse) de farine de blé entier

190 ml (¾ tasse) de farine tout usage non blanchie

125 ml (½ tasse) de flocons d'avoine

15 ml (1 c. à soupe) de poudre à pâte

5 ml (1 c. à thé) de bicarbonate de soude

125 ml (½ tasse) de pacanes hachées

125 ml (½ tasse) de sirop d'érable

2 gros œufs

125 ml (½ tasse) de crème sure allégée* (voir aussi p. 85, 157, 169)

3 grosses poires (525 g), en dés

* 5,5 % m.g.

Accompagnement (par portion)

190 ml (¾ tasse) de yogourt grec à la vanille 0 %

1 pêche (ou fruit équivalent, voir p. 25)

- Placer la grille au centre du four. Préchauffer le four à 180 °C (350 °F).
- Dans un grand bol, mélanger les farines, les flocons d'avoine, la poudre à pâte, le bicarbonate de soude et les pacanes.
- Dans un autre bol, combiner le sirop d'érable, les œufs et la crème sure.
- Incorporer les ingrédients secs aux ingrédients humides tout en brassant jusqu'à l'obtention d'un mélange homogène. Ajouter les poires, bien mélanger.
- Verser dans un moule à pain de 23 × 13 cm (9 × 5 po) antiadhésif ou chemisé d'un papier parchemin. Cuire au four environ 50 à 60 min ou jusqu'à ce qu'un cure-dent inséré au centre du pain en ressorte propre.
- Laisser refroidir le pain environ 10 min avant de le démouler.

	CALORIES	GLUCIDES (g)	PROTÉINES (g)	LIPIDES (g)	FIBRES (g)	FRUITS	FÉCULENTS	LAIT ET SUBSTITUTS	GRAS	SUCRE
PORTION	216	36	5	6	3	½	1	–	½	½
ACCOMPAGNEMENT	178	28	17	1	2	½	–	1 ½	–	–

Muffins à la croustade aux pommes

250 ml (1 tasse) de farine de blé entier

250 ml (1 tasse) de farine tout usage
non blanchie

190 ml (¾ tasse) de sucre de canne
(ou cassonade)

7,5 ml (1 ½ c. à thé) de poudre à pâte

5 ml (1 c. à thé) de cannelle

1,25 ml (¼ c. à thé) de bicarbonate de soude

1 pincée de sel

1 gros œuf

125 ml (½ tasse) de compote de pommes
non sucrée

250 ml (1 tasse) de lait 1 %

45 ml (3 c. à soupe) d'huile d'olive

5 ml (1 c. à thé) d'extrait de vanille

2 pommes (275 g), pelées, en dés

125 ml (½ tasse) de flocons d'avoine

Accompagnement (par portion)

190 ml (¾ tasse) de fromage cottage
allégé*

150 g (1 tasse) de fraises, tranchées
(ou fruit équivalent, voir p. 25)

*2 % m.g. ou moins

- Préchauffer le four à 180 °C (350 °F).

- Dans un grand bol, mélanger les farines, 125 ml
(½ tasse) de sucre de canne, la poudre à pâte,
la cannelle, le bicarbonate de soude et le sel.

- Dans un autre bol, mélanger l'œuf, la compote
de pommes, le lait, 30 ml (2 c. à soupe) d'huile
d'olive et l'extrait de vanille.

- Incorporer graduellement les ingrédients secs
aux ingrédients humides. Ajouter les pommes,
bien mélanger.

- Répartir la pâte dans 12 moules à muffins
antiadhésifs.

- Dans un petit bol, mélanger 60 ml (¼ tasse)
de sucre de canne avec les flocons d'avoine et 15 ml
(1 c. à soupe) d'huile d'olive. Répartir également
sur le dessus des muffins.

- Cuire au four 30 min ou jusqu'à ce qu'un cure-dent
inséré au centre d'un muffin en ressorte propre.

Ce muffin est offert dans la gamme de produits congelés Zéro Diète. Visitez
zerodiete.ca pour les détails.

	CALORIES	GLUCIDES (g)	PROTÉINES (g)	LIPIDES (g)	FIBRES (g)	FRUITS	FÉCULENTS	VIANDES ET SUBSTITUTS	SUCRE
PORTION	194	33	5	5	2	¼	1	–	1
ACCOMPAGNEMENT	184	19	24	3	4	1	–	1	–

Muffins moelleux yogourt, bananes et noix

PRÉPARATION : 10 MIN*   CUISSON : 20 MIN   PORTIONS : 12

* Peut être préparée à l'avance

60 ml (¼ tasse) de yogourt grec nature 0 %

10 ml (2 c. à thé) de bicarbonate de soude

3 bananes (345 g) très mûres, en purée

125 ml (½ tasse) de compote de pommes non sucrée

60 ml (¼ tasse) d'huile d'olive

80 ml (⅓ tasse) de sucre de canne (ou cassonade)

2 gros œufs

5 ml (1 c. à thé) d'extrait de vanille

250 ml (1 tasse) de farine de blé entier

250 ml (1 tasse) de farine tout usage non blanchie

10 ml (2 c. à thé) de poudre à pâte

125 ml (½ tasse) de noix de Grenoble hachées

1 pincée de sel

Accompagnement (par portion)

3 dattes séchées dénoyautées (25 g), en petits morceaux (ou fruit équivalent, voir p. 25)

5 ml (1 c. à thé) de sirop d'érable

190 ml (¾ tasse) de yogourt grec nature 0 %

- Préchauffer le four à 180 °C (350 °F).

- Dans un petit bol, mélanger le yogourt grec avec le bicarbonate de soude. Réserver.

- Dans un autre bol, combiner la purée de bananes, la compote de pommes, l'huile d'olive, le sucre de canne, les œufs et l'extrait de vanille. Ajouter le mélange de yogourt grec.

- Dans un troisième bol, combiner les farines, la poudre à pâte, les noix de Grenoble et le sel, puis les ajouter aux ingrédients humides en mélangeant pour bien incorporer.

- Répartir la pâte dans 12 moules à muffins antiadhésifs.

- Cuire au four environ 20 min ou jusqu'à ce qu'un cure-dent inséré au centre d'un muffin en ressorte propre.

- Ajouter les morceaux de dattes et le sirop d'érable au yogourt grec.

	CALORIES	GLUCIDES (g)	PROTÉINES (g)	LIPIDES (g)	FIBRES (g)	FRUITS	FÉCULENTS	VIANDES ET SUBSTITUTS	SUCRE	GRAS
PORTION	226	30	6	10	2	½	1	–	⅓	1
ACCOMPAGNEMENT	188	30	19	1	2	1	–	1	⅓	–

Noix de Grenoble : pour le « bon » cholestérol !

- L'arginine qu'elle contient renforce le système immunitaire.

- Grâce à sa teneur en cuivre, en fer, en manganèse et en lysine, elle protège contre les maladies cardiovasculaires en favorisant un « bon » cholestérol.

PETITS FRUITS, GRANDES VERTUS !

En plus de leur goût exquis, les petits fruits, comme les mûres, les fraises, les bleuets et les framboises, ont des impacts positifs majeurs sur la santé, notamment :

- ils contribuent à abaisser le cholestérol sanguin grâce à leur teneur en acide ellagique ;

- ils inhibent la croissance des cellules cancéreuses en réduisant l'inflammation dans l'organisme.

Muffins framboises, chocolat blanc et noix de macadamia

MACÉRATION : 10 MIN   PRÉPARATION : 10 MIN*
CUISSON : 15-20 MIN   PORTIONS : 12
* Peut être préparée à l'avance

250 ml (1 tasse) de flocons d'avoine

250 ml (1 tasse) de yogourt grec nature 0 %

80 ml (⅓ tasse) d'huile d'olive

60 ml (¼ tasse) de lait 1 %

160 ml (⅔ tasse) de sucre de canne
(ou cassonade)

1 gros œuf

125 ml (½ tasse) de farine de blé entier

125 ml (½ tasse) de farine tout usage
non blanchie

5 ml (1 c. à thé) de poudre à pâte

5 ml (1 c. à thé) de bicarbonate de soude

1 pincée de sel

150 g (1 tasse) de framboises fraîches
ou congelées

80 g (½ tasse) de pépites de chocolat blanc

30 g (¼ tasse) de noix de macadamia
hachées

Accompagnement (par portion)

60 g (3 tranches) de fromage suisse allégé*

125 ml (½ tasse) de framboises
(ou fruit équivalent, voir p. 25)

*moins de 20 % m.g.

- Préchauffer le four à 200 °C (400 °F).

- Dans un bol, mélanger les flocons d'avoine avec le yogourt. Laisser reposer 10 min. Ajouter l'huile d'olive, le lait, le sucre de canne et l'œuf. Bien mélanger.

- Dans un autre bol, mélanger les farines, la poudre à pâte, le bicarbonate de soude et le sel.

- Incorporer les ingrédients secs aux ingrédients humides et bien mélanger.

- Ajouter délicatement les framboises, les pépites de chocolat et les noix.

- Répartir la pâte dans 12 moules à muffins antiadhésifs.

- Cuire au four 15 à 20 min ou jusqu'à ce qu'un cure-dent inséré au centre d'un muffin en ressorte propre.

Ce muffin est offert dans la gamme de produits congelés Zéro Diète. Visitez zerodiete.ca pour les détails.

	CALORIES	GLUCIDES (g)	PROTÉINES (g)	LIPIDES (g)	FIBRES (g)	FRUITS	FÉCULENTS	VIANDES ET SUBSTITUTS	GRAS	SUCRE
PORTION	257	33	6	12	3	–	½	–	1	1
ACCOMPAGNEMENT	138	11	19	5	4	½	–	1	–	–

Muffins déjeuner jambon-fromage

125 ml (½ tasse) de farine de blé entier

190 ml (¾ tasse) de farine tout usage non blanchie

5 ml (1 c. à thé) de poudre à pâte

5 ml (1 c. à thé) de bicarbonate de soude

260 g (1 tasse) de fromage ricotta allégé* (voir aussi p. 127, 158)

55 g (½ tasse) de fromage parmesan, râpé

125 ml (½ tasse) de lait 1 %

60 ml (¼ tasse) d'huile d'olive

4 gros œufs

225 g (1 ½ tasse) de jambon cuit, en dés

1 poivron rouge (175 g), en dés

1 poivron vert (175 g), en dés

3 oignons verts (45 g), hachés finement

Sel et poivre au goût

* moins de 20 % m.g.

Accompagnement (par portion)

250 ml (1 tasse) de framboises (ou fruit équivalent, voir p. 25)

190 ml (¾ tasse) de yogourt grec à la vanille 0 %

- Préchauffer le four à 200 °C (400 °F).
- Dans un grand bol, mélanger les farines, la poudre à pâte et le bicarbonate de soude.
- Dans un autre bol, mélanger la ricotta, le parmesan, le lait, l'huile d'olive et les œufs.
- Incorporer graduellement les ingrédients secs aux ingrédients humides, en brassant délicatement.
- Ajouter le jambon, les poivrons et les oignons verts. Saler et poivrer.
- Répartir la pâte dans 12 moules à muffins antiadhésifs.
- Cuire au four environ 25 min ou jusqu'à ce qu'un cure-dent inséré au centre d'un muffin en ressorte propre.

	CALORIES	GLUCIDES (g)	PROTÉINES (g)	LIPIDES (g)	FIBRES (g)	LÉGUMES	FRUITS	FÉCULENTS	LAIT ET SUBSTITUTS	VIANDES ET SUBSTITUTS	GRAS
PORTION	206	15	12	11	2	½	–	½	–	½	½
ACCOMPAGNEMENT	209	34	18	1	9	–	1	–	1 ½	–	–

Omelette dans une crêpe

5 gros œufs

310 ml (1 ¼ tasse) de lait écrémé

125 ml (½ tasse) de farine tout usage
non blanchie

80 ml (⅓ tasse) de farine de blé entier

1 pincée de sel

60 ml (¼ tasse) de ciboulette, hachée

10 ml (2 c. à thé) d'huile d'olive

1 oignon (120 g), haché

1 poivron rouge (175 g), tranché

75 g (1 tasse) de champignons, tranchés

1 gousse d'ail, hachée

Sel et poivre au goût

60 g (½ tasse) de fromage cheddar
allégé*, râpé

50 g (⅓ tasse) de fromage féta allégé*,
émietté

*moins de 20 % m.g.

Accompagnement (par portion)

1 orange (ou fruit équivalent, voir p. 25)

- Préchauffer le four à 100 °C (200 °F).

- Dans un bol, fouetter 1 œuf avec le lait, les farines,
le sel et la ciboulette.

- Dans une poêle antiadhésive, chauffer 5 ml
(1 c. à thé) d'huile d'olive à feu moyen-doux et y
verser 125 ml (½ tasse), soit ¼ du mélange. Étendre
le mélange afin que la crêpe soit le plus mince
possible. Lorsque le rebord se décolle facilement
et commence à dorer, retourner la crêpe à l'aide
d'une spatule. Poursuivre la cuisson environ 10 sec.
Réserver au four. Procéder de cette façon pour
toutes les crêpes.

- Dans la même poêle, ajouter 5 ml (1 c. à thé) d'huile
d'olive. Faire sauter l'oignon 1 min, puis ajouter le
poivron, les champignons et l'ail. Saler et poivrer.
Cuire environ 3 min.

- Dans un bol, fouetter les 4 œufs restants, puis les
verser sur le mélange de légumes. Garnir de cheddar
et de féta. Couvrir la poêle et cuire environ 6 min
à feu doux, jusqu'à ce que les œufs soient cuits.

- Pour servir, diviser l'omelette en quatre et en garnir
chaque crêpe. Replier la crêpe en quatre de façon
à recouvrir l'omelette.

	CALORIES	GLUCIDES (g)	PROTÉINES (g)	LIPIDES (g)	FIBRES (g)	LÉGUMES	FRUITS	FÉCULENTS	LAIT ET SUBSTITUTS	VIANDES ET SUBSTITUTS	GRAS
PORTION	341	30	21	15	3	1	–	1	¼	1	¼
ACCOMPAGNEMENT	69	18	2	1	3	–	1	–	–	–	–

Omelette aux légumes et au pesto

PRÉPARATION : 10 MIN   CUISSON : 18 MIN   PORTIONS : 2

2 gros œufs

60 ml (¼ tasse) de lait 1 %

15 ml (1 c. à soupe) de pesto du commerce
(voir aussi p. 64, 88, 114, 144)

Sel et poivre au goût

5 ml (1 c. à thé) d'huile d'olive

½ oignon (60 g), haché

1 gousse d'ail, hachée

6 gros champignons (140 g), tranchés

100 g (1 tasse) de brocoli, en petits
bouquets

80 g (2 tasses) de jeunes épinards

60 g (½ tasse) de fromage cheddar
allégé*, râpé

*moins de 18 % m.g.

Accompagnement (par portion)

2 tranches (58 g) de pain de blé entier
sans sucre ni gras ajoutés, grillées

- Préchauffer le four à 180 °C (350 °F).

- Dans un bol, fouetter les œufs, le lait et le pesto.
Saler et poivrer. Réserver.

- Dans une poêle antiadhésive allant au four,
chauffer l'huile d'olive à feu moyen-doux.
Ajouter l'oignon et cuire environ 2 min.
Incorporer l'ail, les champignons et le brocoli,
poursuivre la cuisson 5 min. Ajouter les épinards,
cuire 1 min. Saler et poivrer.

- Incorporer le mélange d'œuf, cuire 1 min et ajouter le
fromage sur le dessus. Mettre au four 10 min.

	CALORIES	GLUCIDES (g)	PROTÉINES (g)	LIPIDES (g)	FIBRES (g)	LÉGUMES	FÉCULENTS	VIANDES ET SUBSTITUTS	GRAS
PORTION	279	14	21	17	3	3	–	1	½
ACCOMPAGNEMENT	120	23	7	1	7	–	1	–	–

Frittata jambon, asperges et féta

5 ml (1 c. à thé) d'huile d'olive

2 pommes de terre blanches moyennes (250 g), en rondelles

Sel et poivre au goût

½ oignon (60 g), haché

1 gousse d'ail, hachée

150 g (1 tasse) d'asperges, en tronçons

½ poivron rouge (88 g), en dés

82 g (½ tasse) de jambon rôti au four, en dés

3 gros œufs

45 ml (3 c. à soupe) de lait 1 %

40 g (¼ tasse) de fromage féta allégé*, émietté

80 g (2 tasses) de jeunes épinards

*moins de 20 % m.g.

· Préchauffer le four à 180 °C (350 °F).

· Dans une poêle antiadhésive allant au four, chauffer l'huile d'olive et ajouter les pommes de terre. Saler et poivrer. Cuire à feu moyen environ 15 min. Ajouter l'oignon, poursuivre la cuisson 2 min, puis ajouter l'ail, les asperges, le poivron et le jambon. Saler et poivrer. Poursuivre la cuisson environ 5 min.

· Pendant ce temps, dans un bol, fouetter les œufs, le lait et le fromage féta. Réserver.

· Ajouter les épinards dans la poêle, bien mélanger. Poursuivre la cuisson 1 min, puis incorporer le mélange d'œuf en s'assurant qu'il recouvre bien tous les légumes. Transférer la poêle au four et cuire environ 15 min.

	CALORIES	GLUCIDES (g)	PROTÉINES (g)	LIPIDES (g)	FIBRES (g)	LÉGUMES	FÉCULENTS	VIANDES ET SUBSTITUTS	GRAS
PORTION	401	35	32	19	6	3	1	1	¼

ASPERGE : ON A INTÉRÊT À L'AJOUTER À NOS REPAS !

- Sa teneur en composés phénoliques lui offre des propriétés antioxydantes reconnues pour réduire les risques de développer diverses maladies liées au vieillissement, les maladies cardio-vasculaires et le cancer.

- En cuisant légèrement l'asperge, de manière à l'attendrir sans plus, on ferait augmenter sa teneur en composés phénoliques.

Toasts œufs et épinards gratinés

10 ml (2 c. à thé) d'huile d'olive

85 g (½ tasse) d'oignon, haché finement

1 gousse d'ail, hachée finement

320 g (8 tasses) de jeunes épinards

Sel et poivre au goût

8 tranches (232 g) de pain de blé entier
    sans sucre ni gras ajoutés

120 g (16 tranches minces) de fromage
    cheddar allégé*

8 gros œufs

Tabasco ou piment en flocons au goût

* moins de 20 % m.g.

- Préchauffer le four à 180 °C (350 °F).

- Dans une poêle antiadhésive, chauffer 5 ml
  (1 c. à thé) d'huile d'olive. Ajouter l'oignon
  et cuire à feu doux pendant 5 min. Ajouter l'ail
  et les épinards, cuire 1 min. Saler et poivrer.

- Sur une plaque allant au four recouverte d'un
  papier parchemin, déposer les tranches de pain.
  Garnir chaque tranche du mélange d'épinards
  et d'oignon. Ajouter 2 tranches de fromage
  par-dessus, puis cuire au four 8 min ou jusqu'à
  ce que le fromage ait fondu.

- Pendant ce temps, dans la même poêle, ajouter
  le reste de l'huile d'olive et cuire les œufs à feu
  doux pendant 1 min de chaque côté. Saler et poivrer.

- Garnir chaque toast d'un œuf, puis ajouter
  du tabasco ou du piment en flocons au goût.

	CALORIES	GLUCIDES (g)	PROTÉINES (g)	LIPIDES (g)	FIBRES (g)	LÉGUMES	FÉCULENTS	VIANDES ET SUBSTITUTS	GRAS
PORTION	406	30	30	20	9	2	1	1	¼

Sandwich déjeuner œuf et prosciutto

PRÉPARATION : 5 MIN   CUISSON : 2 MIN   PORTION : 1

5 ml (1 c. à thé) d'huile d'olive

1 gros œuf

Sel et poivre au goût

15 g (1 tranche) de prosciutto

1 muffin anglais au blé entier (66 g), grillé

5 ml (1 c. à thé) de mayonnaise allégée

10 g (¼ tasse) de jeunes épinards

15 g (2 tranches minces) de fromage
   cheddar allégé*

* moins de 18 % m.g.

Accompagnement

2 clémentines
   (ou fruit équivalent, voir p. 25)

- Dans une poêle antiadhésive, chauffer l'huile d'olive
  à feu moyen. Cuire l'œuf 1 min de chaque côté, saler
  et poivrer. Cuire le prosciutto dans la même poêle,
  1 min de chaque côté également. Réserver.

- Tartiner l'intérieur du muffin anglais de mayonnaise
  d'un côté seulement, ajouter les épinards, puis
  le fromage. Ajouter le prosciutto puis l'œuf.
  Refermer le sandwich.

	CALORIES	GLUCIDES (g)	PROTÉINES (g)	LIPIDES (g)	FIBRES (g)	LÉGUMES	FRUIT	FÉCULENTS	VIANDES ET SUBSTITUTS	GRAS
PORTION	346	29	21	18	5	¼	–	1	1	1
ACCOMPAGNEMENT	70	18	2	1	3	–	1	–	–	–

Wrap déjeuner mexicain

PRÉPARATION : 5 MIN   CUISSON : 8 MIN   PORTIONS : 2

5 ml (1 c. à thé) d'huile d'olive

30 ml (2 c. à soupe) d'oignon, haché finement

1 gousse d'ail, hachée finement

125 ml (½ tasse) de haricots noirs en conserve, égouttés et rincés

1 poivron rouge (175 g), tranché

2 gros œufs

Sel et poivre au goût

2 tortillas de blé entier (122 g) de 25 cm (10 po)

30 g (¼ tasse) de fromage mozzarella partiellement écrémé, râpé

30 ml (2 c. à soupe) de salsa du commerce (voir aussi p. 157)

Tabasco au goût

- Dans une poêle antiadhésive, chauffer l'huile d'olive. Ajouter l'oignon et l'ail. Cuire à feu doux pendant 1 min. Ajouter les haricots et le poivron, poursuivre la cuisson pendant 5 min.

- Dans un petit bol, fouetter les œufs. Saler et poivrer.

- Ajouter les œufs dans la poêle, bien mélanger. Cuire à feu moyen-doux pendant 2 min.

- Si désiré, réchauffer chaque tortilla au micro-ondes 10 sec.

- Déposer les tortillas dans une assiette et ajouter le mélange d'œufs, puis le fromage, la salsa et quelques gouttes de tabasco.

	CALORIES	GLUCIDES (g)	PROTÉINES (g)	LIPIDES (g)	FIBRES (g)	LÉGUMES	FÉCULENTS	VIANDES ET SUBSTITUTS	GRAS
PORTION	413	48	22	15	8	1	2	½	¼

4 RAISONS DE CHOISIR LE SIROP D'ÉRABLE

1. Il est 1,4 fois plus sucrant que le sucre blanc. On peut donc en mettre moins pour générer le même goût sucré.

2. Son index glycémique est plus faible que celui du sucre, le rendant intéressant pour les diabétiques.

3. Il contient plus de vitamines et de minéraux que le sucre (comme le manganèse, la riboflavine, le zinc, le magnésium, le calcium et le potassium).

4. Il possède aussi des antioxydants contribuant à réduire l'inflammation liée au développement de diverses maladies dont le diabète, l'obésité et les maladies cardiovasculaires.

Bien qu'on le recommande pour remplacer d'autres formes de sucre, il n'en demeure pas moins qu'il s'agit d'un sucre et qu'on devrait plutôt chercher à en diminuer sa consommation totale.

Pancakes bananes et bleuets

160 ml (⅔ tasse) de farine de blé entier

160 ml (⅔ tasse) de farine tout usage non blanchie

10 ml (2 c. à thé) de poudre à pâte

5 ml (1 c. à thé) de cannelle

1 pincée de sel

1 gros œuf

250 ml (1 tasse) de lait 1 %

1 banane (120 g), tranchée

60 ml (¼ tasse) de yogourt grec nature 0 %

5 ml (1 c. à thé) d'huile d'olive

150 g (1 tasse) de bleuets

60 ml (¼ tasse) de sirop d'érable

Accompagnement (par portion)

30 g (4 tranches minces) de fromage cheddar allégé*

*moins de 18 % m.g.

- Dans un grand bol, mélanger les farines, la poudre à pâte, la cannelle et le sel.

- Dans un autre bol, mélanger l'œuf, le lait, les tranches de banane et le yogourt grec.

- Incorporer doucement le second mélange au premier.

- Chauffer une poêle antiadhésive légèrement huilée et y verser 80 ml (⅓ tasse) du mélange. Attendre que de petits trous se forment à la surface de la *pancake* avant de la retourner. Former 8 *pancakes* au total.

- Au moment de servir, garnir les *pancakes* de bleuets et de sirop d'érable.

	CALORIES	GLUCIDES (g)	PROTÉINES (g)	LIPIDES (g)	FIBRES (g)	FRUITS	FÉCULENTS	LAIT ET SUBSTITUTS	VIANDES ET SUBSTITUTS	SUCRE
PORTION	321	60	12	5	4	⅓	1 ½	¼	–	1
ACCOMPAGNEMENT	85	1	9	6	0	–	–	–	½	–

Gruau pommes, cannelle et yogourt à la vanille

1 l (4 tasses) de lait 1 %

440 ml (1 ¾ tasse) de flocons d'avoine à cuisson rapide

5 ml (1 c. à thé) de cannelle

15 ml (1 c. à soupe) de sirop d'érable

250 ml (1 tasse) de yogourt grec à la vanille 0 %

2 pommes (environ 200 g), en dés

60 ml (¼ tasse) de pacanes, hachées

· Dans une casserole, porter le lait à ébullition. Ajouter les flocons d'avoine et la cannelle.

· Baisser le feu et remuer de temps en temps pendant 3 à 5 min. Ajouter le sirop d'érable. Bien mélanger.

· Lorsque le gruau est prêt, garnir chacune des portions de yogourt grec, de morceaux de pomme et de pacanes.

	CALORIES	GLUCIDES (g)	PROTÉINES (g)	LIPIDES (g)	FIBRES (g)	FRUITS	FÉCULENTS	LAIT ET SUBSTITUTS	GRAS	SUCRE
PORTION	412	60	22	11	6	½	1 ½	1 ¼	¼	¼

Smoothie bleuets et mangue

PRÉPARATION : 5 MIN   PORTION : 1

75 g (½ tasse) de bleuets frais ou congelés

100 g (¾ tasse) de mangue fraîche ou congelée en morceaux

125 ml (½ tasse) de lait 1 %

60 ml (¼ tasse) de jus d'orange

- À l'aide d'un mélangeur, réduire tous les ingrédients en purée lisse.

Accompagnement

2 tranches (50 g) de pain de blé entier sans sucre ni gras ajoutés, grillées

75 g (4 c. à soupe) de cretons de veau du commerce

	CALORIES	GLUCIDES (g)	PROTÉINES (g)	LIPIDES (g)	FIBRES (g)	FRUIT	FÉCULENTS	LAIT ET SUBSTITUTS	VIANDES ET SUBSTITUTS
PORTION	182	38	7	3	6	1 ½	–	½	–
ACCOMPAGNEMENT	230	23	13	8	4	–	1	–	½

Smoothie rapido presto

PRÉPARATION : 5 MIN   PORTION : 1

½ banane (60 g)

190 g (1 ½ tasse) de fruits des champs mélangés (fraises, bleuets, framboises...) frais ou congelés

125 ml (½ tasse) de yogourt grec nature 0 %

190 ml (¾ tasse) de lait 1 %

15 ml (1 c. à soupe) de graines de lin ou de chia moulues (voir aussi p. 62, 177, 181)

5 ml (1 c. à thé) de sirop d'érable

- À l'aide d'un mélangeur, réduire tous les ingrédients en purée lisse.

	CALORIES	GLUCIDES (g)	PROTÉINES (g)	LIPIDES (g)	FIBRES (g)	FRUITS	LAIT ET SUBSTITUTS	VIANDES ET SUBSTITUTS	GRAS	SUCRE
PORTION	364	56	23	8	12	2	¾	¾	½	⅓

Smoothie bleuets et mangue

Smoothie banane, beurre d'arachide et chocolat, p. 62

Smoothie rapido presto

Smoothie vert, p. 62

Smoothie banane, beurre d'arachide et chocolat (photo p. 61)

PRÉPARATION : 5 MIN   PORTION : 1

1 banane (120 g), congelée (si possible)

125 ml (½ tasse) de yogourt grec nature 0 %

125 ml (½ tasse) de lait 1 %

22,5 ml (1 ½ c. à soupe) de beurre d'arachide naturel

7,5 ml (½ c. à soupe) de poudre de cacao non sucrée

5 ml (1 c. à thé) de sirop d'érable

2,5 ml (½ c. à thé) d'extrait de vanille

- À l'aide d'un mélangeur, réduire tous les ingrédients en purée lisse.

	CALORIES	GLUCIDES (g)	PROTÉINES (g)	LIPIDES (g)	FIBRES (g)	FRUITS	LAIT ET SUBSTITUTS	VIANDES ET SUBSTITUTS	GRAS	SUCRE
PORTION	398	50	25	14	5	1	½	¾	1 ½	½

Smoothie vert (photo p. 61)

PRÉPARATION : 5 MIN   PORTION : 1

½ banane (60 g)

40 g (1 tasse) de jeunes épinards ou chou frisé (kale)

170 g (1 tasse) de mangue fraîche ou congelée en dés

190 ml (¾ tasse) de yogourt grec nature 0 %

125 ml (½ tasse) d'eau de noix de coco

15 ml (1 c. à soupe) de graines de chia ou de lin moulues (voir aussi p. 60, 177, 181)

- À l'aide d'un mélangeur, réduire tous les ingrédients en purée lisse.

	CALORIES	GLUCIDES (g)	PROTÉINES (g)	LIPIDES (g)	FIBRES (g)	LÉGUMES	FRUITS	VIANDES ET SUBSTITUTS	GRAS
PORTION	350	60	24	5	11	2	2	1	½

dîners

Sandwich au poulet, mayonnaise au pesto

PRÉPARATION : 5 MIN*   CUISSON : 5 MIN   PORTIONS : 2

*Peut être préparée à l'avance

ZÉRO DIÈTE 2

5 ml (1 c. à thé) d'huile d'olive

½ poitrine de poulet (90 g), coupée
en deux sur l'épaisseur

Sel et poivre au goût

15 ml (1 c. à soupe) de mayonnaise allégée

15 ml (1 c. à soupe) de yogourt grec 0 %

15 ml (1 c. à soupe) de pesto du commerce
(voir aussi p. 47, 88, 114, 144)

40 g (¼ tasse) de fromage féta allégé*,
émietté

4 tranches (116 g) de pain multigrain
ou de blé entier sans sucre ni gras
ajoutés

1 petite tomate (100 g), tranchée

40 g (1 tasse) de jeunes épinards

*moins de 20 % m.g.

Accompagnement (par portion)

½ poivron rouge (88 g), tranché
(ou légume équivalent, voir p. 24)

5 bâtonnets de carotte (40 g)
(ou légume équivalent, voir p. 24)

- Dans une poêle antiadhésive, chauffer l'huile d'olive
à feu moyen-vif et cuire la poitrine de poulet environ
2 min de chaque côté ou jusqu'à ce qu'elle soit
cuite. Saler et poivrer. Réserver.

- Dans un petit bol, bien mélanger la mayonnaise,
le yogourt, le pesto et le fromage féta. Réserver.

- Faire griller les tranches de pain. Sur la moitié
des tranches, répartir les tomates, saler et poivrer,
puis ajouter les épinards et le poulet. Couvrir
les autres tranches de la mayonnaise au pesto.
Refermer les sandwichs.

	CALORIES	GLUCIDES (g)	PROTÉINES (g)	LIPIDES (g)	FIBRES (g)	LÉGUMES	FÉCULENTS	VIANDES ET SUBSTITUTS	GRAS
PORTION	339	30	26	17	6	1	1	1	1
ACCOMPAGNEMENT	44	10	2	1	2	2	–	–	–

Bon à savoir sur le fromage féta !

- La féta, tout comme les autres fromages, est créée à partir de la fermentation du lait par des bactéries. La consommation de ces bactéries lactiques par l'ingestion de fromages, de yogourts et de laits fermentés contribuerait à la santé intestinale.

- La féta fait partie des fromages les moins caloriques. Sa teneur en protéines, en calcium et en phosphore en fait un bon aliment pour combler nos besoins.

- Il existe différents types de fétas, dont la plus connue est la grecque. Mais il y a également l'égyptienne et la canadienne, qui existe aussi en version allégée.

- Comme la féta est très salée, il est conseillé de la rincer avant de la consommer. Les personnes hypertendues doivent malgré tout faire preuve de modération !

Le piment jalapeno : anticancéreux !

Certains adorent la sensation de brûlure que le piment fort procure, et c'est tant mieux car, parmi ses propriétés, on trouve l'action de prévenir le développement de plusieurs formes de cancer. C'est la capsaïcine, cet ingrédient actif responsable du goût épicé, qui interfère avec la progression du cancer. Pour ceux qui n'ont pas l'habitude de manger épicé, commencez par intégrer de petites quantités et vous remarquerez que votre tolérance augmentera. Les bienfaits en valent la peine !

Quesadillas au poulet barbecue

½ poitrine de poulet (90 g), en dés

5 ml (1 c. à thé) d'huile d'olive

Sel et poivre au goût

1 poivron rouge (175 g), tranché mince

1 oignon vert (15 g), émincé

½ piment jalapeno (7 g), haché finement
(voir aussi p. 116)

45 ml (3 c. à soupe) de sauce barbecue
sans gras du commerce

Zeste et jus d'une demi-lime

4 tortillas de blé entier de 17,5 cm (7 po)

60 g (½ tasse) de fromage mozzarella
partiellement écrémé, râpé

Accompagnement (par portion)

5 bâtonnets de carotte (40 g)
(ou légume équivalent, voir p. 24)

7 tranches de concombre (75 g)
(ou légume équivalent, voir p. 24)

30 ml (2 c. à soupe) de hummus
du commerce

- Préchauffer le four à 180 °C (350 °F).

- Dans une poêle antiadhésive, cuire le poulet à feu
moyen dans l'huile d'olive environ 5 min.
Saler et poivrer.

- Dans un bol, mélanger le poulet, le poivron,
l'oignon vert, le piment jalapeno, la sauce barbecue,
le jus de lime et le zeste.

- Sur une plaque allant au four recouverte d'un papier
parchemin, déposer 2 tortillas une à côté de l'autre,
répartir également le mélange de poulet, puis garnir
de fromage mozzarella.

- Couvrir avec les tortillas restantes.
Presser légèrement.

- Cuire au four environ 8 min, ou jusqu'à ce que
le fromage ait fondu.

	CALORIES	GLUCIDES (g)	PROTÉINES (g)	LIPIDES (g)	FIBRES (g)	LÉGUMES	FÉCULENTS	VIANDES ET SUBSTITUTS	GRAS	SUCRE
PORTION	336	46	22	9	2	1	1 ½	1	−	1
ACCOMPAGNEMENT	78	11	4	4	3	1 ½	−	−	½	−

Sandwich à la salade de poulet, pommes et noix

1 poitrine de poulet (180 g), en dés

5 ml (1 c. à thé) d'huile d'olive

Sel et poivre au goût

30 ml (2 c. à soupe) de mayonnaise allégée

15 ml (1 c. à soupe) de yogourt grec nature 0 %

½ pomme (75 g), en dés

30 ml (2 c. à soupe) de pacanes hachées

4 tranches (116 g) de pain de blé entier ou multigrain sans sucre ni gras ajoutés

20 g (½ tasse) de jeunes épinards

Accompagnement (par portion)

¼ concombre (75 g), tranché
   (ou légume équivalent, voir p. 24)

½ poivron rouge (88 g), tranché
   (ou légume équivalent, voir p. 24)

- Dans une poêle antiadhésive, cuire la poitrine de poulet dans l'huile d'olive environ 5 min en remuant fréquemment. Saler et poivrer. Réserver et laisser tiédir.

- Dans un bol, mélanger la mayonnaise, le yogourt grec, la pomme, les pacanes et le poulet. Saler et poivrer.

- Faire griller les tranches de pain. Y déposer le mélange de poulet et garnir d'épinards.

	CALORIES	GLUCIDES (g)	PROTÉINES (g)	LIPIDES (g)	FIBRES (g)	LÉGUMES	FRUITS	FÉCULENTS	VIANDES ET SUBSTITUTS	GRAS
PORTION	365	32	30	16	9	¼	¼	1	1	1 ½
ACCOMPAGNEMENT	39	9	2	1	2	1 ½	–	–	–	–

Rouleaux de printemps au canard, sauce hoisin

PRÉPARATION : 15 MIN*   CUISSON : 15 MIN
PORTIONS : 4 – 1 portion équivaut à 2 rouleaux
* Peut être préparée à l'avance

2 cuisses de canard confites (190 g)
100 g (¼ paquet) de vermicelles de riz
8 feuilles de riz de 20 cm (9 po)
60 g (8 feuilles) de laitue Boston
60 ml (¼ tasse) de sauce hoisin
(voir aussi p. 129, 140)
½ concombre (150 g), en bâtonnets
45 ml (3 c. à soupe) d'arachides non
salées hachées (voir aussi p. 93,
164, 203)
2 oignons verts (30 g), tranchés finement

Accompagnement (4 portions)

Salade de légumes à la vietnamienne

1 carotte (60 g), pelée, tranchée finement
125 g (1 tasse) de concombre, tranché
finement
15 ml (1 c. à soupe) de vinaigre de riz
10 ml (2 c. à thé) d'eau
5 ml (1 c. à thé) de miel
Sel au goût

- Préchauffer le four à 200 °C (400 °F).
- Sur une plaque allant au four recouverte d'un papier parchemin, cuire les cuisses de canard environ 15 min. Laisser refroidir, puis retirer le gras et la peau. Effilocher avec les mains. Réserver.
- Dans une petite casserole, faire bouillir de l'eau et cuire les vermicelles de riz selon les indications sur l'emballage. Égoutter et réserver.
- Dans un grand bol d'eau très chaude, tremper rapidement une feuille de riz. Déposer sur un plan de travail.
- Garnir chaque feuille de riz d'une feuille de laitue et y répartir également les garnitures (le canard, les vermicelles, la sauce hoisin, le concombre, les arachides et les oignons verts). Rouler fermement les feuilles pour bien emprisonner les garnitures. Déposer sur un linge humide.
- Couvrir d'un linge humide et réfrigérer quelques minutes avant de déguster.

Accompagnement (macération : 30 min)
- Combiner tous les ingrédients et laisser mariner au réfrigérateur environ 30 min. Mélanger fréquemment.

	CALORIES	GLUCIDES (g)	PROTÉINES (g)	LIPIDES (g)	FIBRES (g)	LÉGUMES	FÉCULENTS	VIANDES ET SUBSTITUTS	GRAS	SUCRE
PORTION	401	52	19	14	3	½	2	½	½	½
ACCOMPAGNEMENT	22	6	1	1	1	½	–	–	–	½

Sandwich à la dinde et au guacamole

PRÉPARATION : 10 MIN   PORTIONS : 2

1 avocat (140 g), en purée

5 ml (1 c. à thé) de mayonnaise allégée

0,625 ml (⅛ c. à thé) de paprika

0,625 ml (⅛ c. à thé) de piment en flocons
ou de Cayenne

Sel et poivre au goût

4 tranches (140 g) de pain de blé entier
ou multigrain sans sucre ni gras
ajoutés, grillées

82 g (6 tranches) de dinde
(viande froide ou poitrine de dinde cuite)

1 petite tomate (100 g), tranchée

30 g (4 petites tranches) de fromage
cheddar allégé*

40 g (1 tasse) d'épinards

* 18 % m.g.

Accompagnement (par portion)

5 bâtonnets de carotte (40 g)
(ou légume équivalent, voir p. 24)

½ poivron rouge (88 g), tranché
(ou légume équivalent, voir p. 24)

15 ml (1 c. à soupe) de hummus
du commerce

- Dans un bol, mélanger l'avocat, la mayonnaise,
le paprika et le piment. Saler et poivrer. Réserver.

- Faire griller les tranches de pain. Dans chaque
sandwich, déposer la moitié des tranches de dinde,
du mélange d'avocat, des tomates, du fromage
et des épinards.

	CALORIES	GLUCIDES (g)	PROTÉINES (g)	LIPIDES (g)	FIBRES (g)	LÉGUMES	FÉCULENTS	VIANDES ET SUBSTITUTS	GRAS
PORTION	339	35	20	16	13	1	1	½	1
ACCOMPAGNEMENT	67	12	3	2	3	2	–	–	¼

Wrap au thon à la grecque (photo p. 76)

PRÉPARATION : 10 MIN   PORTIONS : 2

30 ml (2 c. à soupe) de mayonnaise allégée

30 ml (2 c. à soupe) de yogourt grec nature 0 %

120 g (1 boîte) de thon pâle dans l'eau à faible teneur en sodium, égoutté

Sel et poivre au goût

2 tortillas de blé entier (150 g) de 25 cm (10 po)

30 ml (2 c. à soupe) d'olives noires ou vertes, dénoyautées et tranchées

1 poivron rouge (175 g), tranché

½ concombre (150 g), en lanières

40 g (¼ tasse) de fromage féta allégé*, émietté

* moins de 20 % m.g.

- Dans un bol, mélanger la mayonnaise, le yogourt grec et le thon. Saler et poivrer.

- Garnir chaque tortilla de la moitié du mélange de thon, des olives, du poivron, du concombre et du fromage féta. Rouler fermement les tortillas.

	CALORIES	GLUCIDES (g)	PROTÉINES (g)	LIPIDES (g)	FIBRES (g)	LÉGUMES	FÉCULENTS	VIANDES ET SUBSTITUTS	GRAS
PORTION	426	55	28	15	2	1 ½	2	1	1

Wrap au thon à la grecque, p. 75

Sandwich cubano

Grilled cheese gourmand aux oignons caramélisés, p. 78

Sandwich végétarien aux légumes rôtis, p. 79

Sandwich cubano

PRÉPARATION : 5 MIN*   CUISSON : 10 MIN   PORTION : 1

* Peut être préparée à l'avance

2 tranches (58 g) de pain de blé entier ou multigrain sans sucre ni gras ajoutés

10 ml (2 c. à thé) de mayonnaise allégée

32 g (2 tranches) de jambon blanc très maigre (viande froide)

30 g (5 petites tranches) de rôti de porc (viande froide)

1 cornichon moyen, tranché

40 g (2 tranches) de fromage suisse allégé*

5 ml (1 c. à thé) de moutarde de Dijon

* moins de 20 % m.g.

Accompagnement

½ poivron jaune (88 g), tranché (ou légume équivalent, voir p. 24)

¼ concombre (75 g), tranché (ou légume équivalent, voir p. 24)

15 ml (1 c. à soupe) de hummus du commerce

- Préchauffer le four à 230 °C (450 °F) ou une machine à panini.
- Déposer les tranches de pain sur une plaque allant au four ou dans la machine à panini. Sur une des tranches, étendre la mayonnaise, puis y déposer le jambon, le rôti de porc, le cornichon et le fromage. Tartiner l'autre tranche de pain de moutarde. Refermer.
- Cuire 10 min ou jusqu'à ce que le fromage ait fondu.

	CALORIES	GLUCIDES (g)	PROTÉINES (g)	LIPIDES (g)	FIBRES (g)	LÉGUMES	FÉCULENTS	VIANDES ET SUBSTITUTS	GRAS
PORTION	369	32	35	12	6	–	1	1	½
ACCOMPAGNEMENT	71	12	3	3	2	1 ½	–	–	½

Grilled cheese gourmand aux oignons caramélisés (photo p. 76)

PRÉPARATION : 5 MIN   CUISSON : 21 MIN   PORTIONS : 2

1 oignon (120 g), tranché mince

5 ml (1 c. à thé) de sirop d'érable

10 ml (2 c. à thé) d'huile d'olive

4 tranches (116 g) de pain de blé entier ou multigrain sans sucre ni gras ajoutés

120 g (6 tranches) de fromage suisse allégé*

20 g (2 c. à soupe) de noix de Grenoble hachées

*moins de 20 % m.g.

Accompagnement (par portion)

15 ml (1 c. à soupe) de hummus du commerce

10 carottes miniatures (ou légume équivalent, voir p. 24)

- Dans une poêle antiadhésive, cuire les oignons à feu moyen-doux pendant 15 min avec le sirop d'érable et 5 ml (1 c. à thé) d'huile d'olive pour les faire caraméliser.

- Placer les tranches de pain sur un plan de travail. Déposer deux tranches de fromage sur une des tranches de pain, puis ajouter les noix, les oignons caramélisés et l'autre tranche de fromage. Couvrir de l'autre tranche de pain. Répéter pour le deuxième *grilled cheese*.

- Dans une autre poêle, chauffer 5 ml (1 c. à thé) d'huile d'olive à feu moyen et cuire les *grilled cheese* environ 3 min de chaque côté, en les pressant légèrement.

	CALORIES	GLUCIDES (g)	PROTÉINES (g)	LIPIDES (g)	FIBRES (g)	LÉGUMES	FRUITS	FÉCULENTS	VIANDES ET SUBSTITUTS	GRAS
PORTION	373	41	27	14	10	1	½	1	1	1
ACCOMPAGNEMENT	59	12	3	3	4	1	–	–	–	½

Sandwich végétarien aux légumes rôtis (photo p. 76)

PRÉPARATION : 5 MIN*   CUISSON : 8 MIN   PORTIONS : 2

*Peut être préparée à l'avance

5 ml (1 c. à thé) d'huile d'olive

15 ml (1 c. à soupe) de vinaigre balsamique

2,5 ml (½ c. à thé) de mélange d'épices à steak

4 tranches d'aubergine (100 g), coupées minces

1 poivron rouge (175 g), tranché

150 g de pain baguette ou miche multigrain, coupé en deux et grillé

30 ml (2 c. à soupe) de hummus du commerce

20 g (½ tasse) de jeunes épinards

80 g (4 tranches) de fromage mozzarella (ou mozzarina) di Bufala

- Dans un bol, mélanger l'huile d'olive avec le vinaigre balsamique, les épices à steak, les aubergines et le poivron. Transférer dans une poêle et cuire à feu moyen pendant 8 min en mélangeant fréquemment. Réserver.

- Tartiner un des côtés du pain de hummus. Répartir également dans les deux sandwichs les épinards, la mozzarella, puis les légumes. Refermer les sandwichs.

	CALORIES	GLUCIDES (g)	PROTÉINES (g)	LIPIDES (g)	FIBRES (g)	LÉGUMES	FÉCULENTS	VIANDES ET SUBSTITUTS	GRAS
PORTION	413	49	21	17	11	2	2	½	1

Sandwich au porc barbecue et salade de chou crémeuse

30 ml (2 c. à soupe) de mayonnaise
allégée

30 ml (2 c. à soupe) de yogourt grec
nature 0 %

30 ml (2 c. à soupe) de vinaigre de cidre

5 ml (1 c. à thé) de sirop d'érable

200 g (2 tasses) de chou rouge, haché

200 g (2 tasses) de chou vert, haché

Sel et poivre au goût

400 g (14 oz) de filet de porc,
tranché très mince

10 ml (2 c. à thé) de paprika

2,5 ml (½ c. à thé) de poudre d'ail

1,25 ml (¼ c. à thé) de poudre de chili

5 ml (1 c. à thé) d'huile d'olive

90 ml (⅓ tasse) de sauce barbecue
sans gras du commerce

8 tranches (280 g) de pain multigrain, grillées

Accompagnement (par portion)

8 tomates cerises (135 g)
(ou légume équivalent, voir p. 24)

125 ml (½ tasse) de concombre, tranché
(ou légume équivalent, voir p. 24)

- Dans un grand bol, mélanger la mayonnaise,
le yogourt, le vinaigre de cidre et le sirop d'érable.
Ajouter les choux, bien mélanger. Saler et poivrer.
Réserver.

- Dans un autre bol, mélanger le porc avec le paprika,
la poudre d'ail et la poudre de chili. Saler et poivrer.

- Dans une poêle antiadhésive, chauffer l'huile d'olive
à feu moyen-vif et cuire les tranches de porc environ
2 min de chaque côté. Saler et poivrer. Ajouter
la sauce barbecue et bien mélanger. Réserver au
chaud.

- Garnir quatre tranches de pain de porc, puis ajouter
la salade de chou. Refermer les sandwichs.

	CALORIES	GLUCIDES (g)	PROTÉINES (g)	LIPIDES (g)	FIBRES (g)	LÉGUMES	FÉCULENTS	VIANDES ET SUBSTITUTS	GRAS	SUCRE
PORTION	419	52	31	9	5	1	1 ½	1	½	1
ACCOMPAGNEMENT	34	9	3	2	2	2	–	–	–	–

CHOUCHOUTEZ LES CHOUX!

- Ils contiennent des vitamines, des minéraux et regorgent d'antioxydants. Le cancer déteste les choux! Richard Béliveau le clame haut et fort: en mangeant 3 portions de chou (ou d'autres légumes de la même famille) par semaine, on peut réduire jusqu'à 50 % le risque de développer certains cancers! Cet argument à lui seul devrait être suffisamment convaincant pour vous en faire consommer!

- Variez vos apports en pigeant parmi la famille des crucifères: brocoli, chou-fleur, chou de Bruxelles, chou chinois, chou rouge, chou vert, chou frisé, navet, radis, cresson.

Tortillas au poulet chipotle piquant

PRÉPARATION : 10 MIN* CUISSON : 5 MIN PORTIONS : 2

* Peut être préparée à l'avance

1 poitrine de poulet (180 g), tranchée

5 ml (1 c. à thé) d'huile d'olive

Sel et poivre au goût

3 piments chipotle en sauce adobo*, hachés

15 ml (1 c. à soupe) de mayonnaise allégée

15 ml (1 c. à soupe) de yogourt grec nature 0 %

2 tortillas de blé entier (75 g) de 18 cm (7 po)

60 g (½ tasse) de fromage cheddar allégé**, râpé

40 g (1 tasse) de mesclun

½ poivron rouge (88 g), tranché

½ avocat (65 g), tranché

* Les piments chipotle en sauce adobo, disponibles en conserve, sont faciles à trouver dans le rayon des aliments mexicains.

** 18 % m.g.

- Dans une poêle, cuire le poulet dans l'huile d'olive 5 min en remuant régulièrement. Saler et poivrer. Réserver.

- Dans un bol, mélanger les piments chipotle, la mayonnaise et le yogourt. Réserver.

- Pour assembler les tortillas, étendre la sauce, garnir de fromage, puis ajouter la laitue, le poulet, le poivron et l'avocat. Bien rouler chaque tortilla.

	CALORIES	GLUCIDES (g)	PROTÉINES (g)	LIPIDES (g)	FIBRES (g)	LÉGUMES	FÉCULENTS	VIANDES ET SUBSTITUTS	GRAS
PORTION	416	34	34	18	6	1	1	1 ½	1

Salade César au prosciutto (photo p. 87)

PRÉPARATION : 10 MIN   CUISSON : 10 MIN   PORTIONS : 4

⅓ d'une baguette (60 g) de pain multi-grain ou de blé entier, en dés

30 g (2 tranches) de prosciutto, haché

500 g (10 tasses) de laitue romaine, hachée

80 g (¾ tasse) de fromage parmesan, râpé

240 g (2 tasses) de poitrine de poulet cuite, tranchée

Sel et poivre au goût

Vinaigrette

45 ml (3 c. à soupe) d'huile d'olive

1 gousse d'ail, hachée

15 ml (1 c. à soupe) de jus de citron

15 ml (1 c. à soupe) de vinaigre de vin blanc

10 ml (2 c. à thé) de mayonnaise allégée

10 ml (2 c. à thé) de yogourt grec nature 0 %

5 ml (1 c. à thé) de moutarde de Dijon

5 ml (1 c. à thé) de sauce Worcestershire

Sel et poivre au goût

- Préchauffer le four à 200 °C (400 °F).

- Sur une plaque allant au four, étaler le pain et le prosciutto, puis griller pendant 10 min pour qu'ils deviennent croustillants. Réserver.

- Dans un petit bol, mélanger tous les ingrédients de la vinaigrette. Réserver.

- Dans un grand saladier, combiner la laitue, le fromage parmesan, le poulet, les croûtons de baguette, le prosciutto et la vinaigrette. Saler et poivrer. Bien mélanger.

	CALORIES	GLUCIDES (g)	PROTÉINES (g)	LIPIDES (g)	FIBRES (g)	LÉGUMES	FÉCULENTS	VIANDES ET SUBSTITUTS	GRAS
PORTION	359	14	31	20	4	2 ½	¼	1 ½	1

Salade mexicaine, vinaigrette à l'avocat (photo p. 87)

PRÉPARATION : 15 MIN   CUISSON : 3 MIN   PORTIONS : 2

½ poitrine de poulet (90 g), en dés

5 ml (1 c. à thé) d'huile d'olive

Sel et poivre au goût

175 g (1 tasse) de maïs en grains cuit

250 ml (1 tasse) de haricots noirs en conserve, rincés et égouttés

1 tomate moyenne (130 g), en dés

230 g (3 tasses) de laitue romaine, en morceaux

Vinaigrette

½ avocat (70 g)

30 ml (2 c. à soupe) de crème sure allégée* (voir aussi p. 35, 157, 169)

10 ml (2 c. à thé) d'huile d'olive

10 ml (2 c. à thé) de vinaigre de vin blanc

Jus et zeste d'une demi-lime

Sel et poivre au goût

*5,5 % m.g.

- Dans une poêle à feu moyen-vif, cuire le poulet dans l'huile d'olive environ 3 min. Saler et poivrer. Réserver et laisser tiédir.

- Dans un bol, à l'aide d'une fourchette, réduire l'avocat en purée et mélanger tous les ingrédients de la vinaigrette.

- Dans un grand bol, combiner le maïs, les haricots, la tomate, la laitue et le poulet. Ajouter la vinaigrette au moment de servir. Bien mélanger.

	CALORIES	GLUCIDES (g)	PROTÉINES (g)	LIPIDES (g)	FIBRES (g)	LÉGUMES	FÉCULENTS	VIANDES ET SUBSTITUTS	GRAS
PORTION	427	52	25	17	14	2	2	1	1

Salade de pâtes crémeuse au poulet grillé

PRÉPARATION : 20 MIN*   CUISSON : 10 MIN
RÉFRIGÉRATION : 30 MIN   PORTIONS : 4
* Peut être préparée à l'avance

ZÉRO DIÈTE 2 •

250 g (3 tasses) de rotinis de blé entier

1 poitrine de poulet (180 g), en dés

5 ml (1 c. à thé) d'huile d'olive

45 ml (3 c. à soupe) de mayonnaise allégée

45 ml (3 c. à soupe) de yogourt grec nature 0 %

80 g (½ tasse) de fromage féta allégé*, émietté

15 ml (1 c. à soupe) de vinaigre de vin rouge

10 ml (2 c. à thé) de moutarde de Dijon

5 ml (1 c. à thé) de sirop d'érable

Sel et poivre au goût

2 gros poivrons rouges (350 g), en dés

1 gros poivron vert (175 g), en dés

125 g (¾ tasse) de tomates cerises, coupées en deux

60 g (½ tasse) d'oignon rouge, en fines rondelles

* moins de 20 % m.g.

- Cuire les pâtes dans l'eau bouillante selon les indications sur l'emballage. Laisser tiédir.

- Dans une poêle antiadhésive, faire griller le poulet dans l'huile d'olive environ 5 min. Réserver.

- Dans un petit bol, mélanger les ingrédients de la vinaigrette : la mayonnaise, le yogourt grec, le fromage féta, le vinaigre de vin rouge, la moutarde de Dijon et le sirop d'érable. Saler et poivrer. Réserver.

- Une fois les pâtes refroidies, dans un grand bol, mélanger le poulet, les poivrons, les tomates cerises, l'oignon, les pâtes et la vinaigrette. Bien mélanger.

- Réfrigérer environ 30 min avant de consommer.

	CALORIES	GLUCIDES (g)	PROTÉINES (g)	LIPIDES (g)	FIBRES (g)	LÉGUMES	FÉCULENTS	VIANDES ET SUBSTITUTS	GRAS
PORTION	419	60	28	13	8	2	2	1	½

Salade César au prosciutto, p. 84

Salade mexicaine, vinaigrette à l'avocat, p. 85

Salade de pâtes crémeuse au poulet grillé

Salade de quinoa au poulet et aux légumes grillés, p. 88

Salade de quinoa au poulet et aux légumes grillés (photo p. 87)

PRÉPARATION : 10 MIN*   CUISSON : 20 MIN
RÉFRIGÉRATION : 30 MIN   PORTIONS : 4
* Peut être préparée à l'avance

500 ml (2 tasses) de bouillon de légumes
  à teneur réduite en sodium
250 ml (1 tasse) de quinoa multicolore
  ou ordinaire (voir aussi p. 94)
1 oignon rouge moyen (140 g), en dés
15 ml (1 c. à soupe) d'huile d'olive
3 gousses d'ail, hachées
2 courgettes (350 g), en rondelles
2 poivrons rouges (350 g), en dés
1,25 ml (¼ c. à thé) de thym séché
Sel et poivre au goût
2 poitrines de poulet (360 g), tranchées

Vinaigrette

30 ml (2 c. à soupe) de pesto du commerce
  (voir aussi p. 47, 64, 114, 144)
30 ml (2 c. à soupe) de vinaigre de cidre
10 ml (2 c. à thé) de moutarde en grains
  à l'ancienne
10 ml (2 c. à thé) d'huile d'olive
5 ml (1 c. à thé) de sirop d'érable
30 ml (2 c. à soupe) de basilic, haché
  (facultatif)
Sel et poivre au goût

- Dans une casserole, porter le bouillon de légumes à ébullition. Ajouter le quinoa, cuire selon les indications sur l'emballage. Réserver, laisser tiédir.

- Dans une poêle, cuire les oignons dans 10 ml (2 c. à thé) d'huile d'olive à feu moyen pendant 5 min. Ajouter l'ail, les courgettes, les poivrons et le thym. Saler et poivrer. Réserver, laisser tiédir.

- Dans la même poêle, à feu moyen, ajouter 5 ml (1 c. à thé) d'huile d'olive et faire cuire le poulet environ 2 min de chaque côté ou jusqu'à ce qu'il soit cuit. Saler et poivrer. Réserver, laisser tiédir.

- Dans un petit bol, mélanger tous les ingrédients de la vinaigrette.

- Dans un saladier, mélanger le quinoa, les légumes, le poulet et la vinaigrette.

- Réfrigérer environ 30 min avant de déguster.

	CALORIES	GLUCIDES (g)	PROTÉINES (g)	LIPIDES (g)	FIBRES (g)	LÉGUMES	FÉCULENTS	VIANDES ET SUBSTITUTS	GRAS
PORTION	419	48	24	15	9	2	1 ½	1	1

Le quinoa : une belle option sans gluten

- Excellent choix pour les végétariens, car, comparativement à d'autres céréales comme le riz ou le blé, le quinoa renferme une grande quantité de protéines complètes. Il peut donc remplacer une portion de viande ou de poisson.

- Il est particulièrement riche en fer, mais il contient également de la vitamine B, des antioxydants et des minéraux, et représente une source de fibres non négligeable.

- Comme il ne contient pas de gluten, il constitue une belle solution de remplacement au blé pour les personnes intolérantes ou souffrant de la maladie cœliaque.

- Pour le cuisiner, assurez-vous de le faire tremper ou à tout le moins de le rincer abondamment afin de retirer la saponine, l'enveloppe du grain qui lui donne son goût amer.

Salade de kale, thon et pommes

ZÉRO DIÈTE 2 •

PRÉPARATION : 10 MIN*   RÉFRIGÉRATION : 15 MIN   PORTIONS : 2

* Peut être préparée à l'avance

150 g (2 tasses) de chou frisé (kale), haché

100 g (1 tasse) de chou rouge, haché

100 g (1 tasse) de brocoli, haché

1 pomme (140 g), tranchée

120 g (1 boîte) de thon dans l'eau, sans sel, égoutté et émietté

60 ml (¼ tasse) de canneberges séchées

60 ml (¼ tasse) d'amandes tranchées

Vinaigrette

37,5 ml (2 ½ c. à soupe) de vinaigre de cidre

30 ml (2 c. à soupe) de mayonnaise allégée

30 ml (2 c. à soupe) de yogourt grec nature 0 %

10 ml (2 c. à thé) d'huile d'olive

5 ml (1 c. à thé) de sirop d'érable

5 ml (1 c. à thé) de moutarde de Dijon

5 ml (1 c. à thé) de graines de pavot

Sel et poivre au goût

- Dans un grand saladier, combiner tous les ingrédients de la salade.

- Dans un petit bol, mélanger tous les ingrédients de la vinaigrette. Ajouter à la salade. Bien mélanger.

- Réfrigérer environ 15 min avant de déguster.

	CALORIES	GLUCIDES (g)	PROTÉINES (g)	LIPIDES (g)	FIBRES (g)	LÉGUMES	FRUITS	GRAS	SUCRE
PORTION	415	45	25	19	9	2	½	1	1

Thon en boîte : lequel choisir ?

- Très bonne protéine complète, source d'oméga-3 et de plusieurs vitamines et minéraux, le thon est un choix santé, surtout si on opte pour le thon dans l'eau plutôt que dans l'huile, et pour celui qui a une teneur réduite en sodium.

- La présence de mercure augmente en fonction de la taille du poisson. Parmi les différentes espèces de thon, celles qui sont utilisées pour les conserves seraient plus petites. Voilà qui est rassurant ! De plus, le thon pâle contiendrait beaucoup moins de mercure que le thon blanc. Selon Santé Canada, la concentration de mercure de tous les thons en conserve est inférieure aux normes établies.

- Les marques Raincoast ainsi que Wild Planet sont à privilégier puisque ces entreprises pratiquent une pêche durable et non menaçante pour l'espèce et l'environnement, contrairement aux autres compagnies qui produisent du thon en conserve.

CREVETTES : SAVIEZ-VOUS QUE...

remplies de protéines, les crevettes contiennent aussi des acides gras oméga-3 et de la vitamine K ? Grâce à sa teneur en astaxanthine, la crevette contribue à réduire le développement de cancers ainsi que de maladies chroniques et cardiovasculaires.

Les crevettes nordiques du Québec sont à privilégier puisque, contrairement à celles qui sont importées d'Asie, elles sont exemptes d'additifs chimiques (servant principalement à gorger la crevette d'eau) et sont ainsi beaucoup plus nutritives.

Salade thaïe aux crevettes

16 grosses crevettes crues (200 g), décortiquées, sans la queue

5 ml (1 c. à thé) d'huile d'olive

Sel et poivre au goût

50 g (⅛ paquet) de vermicelles de riz

1 poivron rouge (175 g), tranché

160 g (4 tasses) de mesclun

30 ml (2 c. à soupe) d'arachides non salées hachées (voir aussi p. 70, 164, 203)

15 ml (1 c. à soupe) de coriandre, hachée (voir aussi p. 100, 105, 116, 129, 137, 151, 157, 164)

Vinaigrette

Zeste et jus d'une lime

15 ml (1 c. à soupe) de vinaigre de riz

15 ml (1 c. à soupe) de sauce de poisson (voir aussi p. 129)

10 ml (2 c. à thé) de sauce soya à teneur réduite en sodium (ou sans gluten)

10 ml (2 c. à thé) d'huile de sésame (voir aussi p. 151)

10 ml (2 c. à thé) de miel

- Dans une poêle antiadhésive, faire griller les crevettes dans l'huile d'olive environ 2 min de chaque côté. Saler et poivrer. Réserver.

- Dans une petite casserole, faire bouillir de l'eau et cuire les vermicelles de riz selon les indications sur l'emballage. Égoutter, laisser tiédir.

- Dans un petit bol, mélanger tous les ingrédients de la vinaigrette. Réserver.

- Dans un grand saladier, combiner le poivron rouge, la laitue, les arachides, la coriandre et les vermicelles de riz. Ajouter la vinaigrette, bien mélanger et garnir de crevettes.

	CALORIES	GLUCIDES (g)	PROTÉINES (g)	LIPIDES (g)	FIBRES (g)	LÉGUMES	VIANDES ET SUBSTITUTS	GRAS	SUCRE
PORTION	403	43	29	15	6	3	1	1	½

Salade de quinoa au poulet et aux raisins

PRÉPARATION : 10 MIN*   CUISSON : 20 MIN   PORTIONS : 4

* Peut être préparée à l'avance

190 ml (¾ tasse) de quinoa multicolore (voir aussi p. 88)

375 ml (1 ½ tasse) de bouillon de poulet à teneur réduite en sodium

1 ½ poitrine de poulet (270 g), en dés

5 ml (1 c. à thé) d'huile d'olive

Sel et poivre au goût

160 g (4 tasses) de roquette ou de jeunes épinards

400 g (2 tasses) de raisins rouges, coupés en deux

4 feuilles de basilic frais, hachées

1 concombre (300 g), tranché

60 ml (¼ tasse) de pacanes hachées

40 g (¼ tasse) d'oignon rouge, haché

Vinaigrette

30 ml (2 c. à soupe) d'huile olive

30 ml (2 c. à soupe) de vinaigre balsamique

30 ml (2 c. à soupe) de jus de citron

5 ml (1 c. à thé) de sirop d'érable

5 ml (1 c. à thé) de moutarde de Dijon

½ gousse d'ail, hachée

· Cuire le quinoa dans le bouillon de poulet selon les indications sur l'emballage. Réserver et laisser tiédir.

· Dans une poêle antiadhésive, cuire les morceaux de poulet dans l'huile d'olive à feu moyen pendant 5 min, en mélangeant de temps en temps. Saler et poivrer. Réserver et laisser tiédir.

· Dans un grand saladier, combiner tous les ingrédients de la salade.

· Dans un petit bol, fouetter les ingrédients de la vinaigrette.

· Incorporer la vinaigrette à la salade et bien mélanger.

	CALORIES	GLUCIDES (g)	PROTÉINES (g)	LIPIDES (g)	FIBRES (g)	LÉGUMES	FRUITS	FÉCULENTS	VIANDES ET SUBSTITUTS	GRAS
PORTION	430	50	23	17	6	2	1	1	½	1

CANARD : BONS GRAS OU MAUVAIS GRAS ?

- Bien que le canard soit plus gras que la volaille, vous diminuerez des deux tiers la quantité de gras en retirant sa peau, rendant son pourcentage de gras similaire à celui du poulet.

- Le canard est une excellente source de phosphore, de zinc, de fer, de sélénium, de cuivre ainsi que de vitamines B_2, B_3 et B_5. Cette dernière nous permet d'utiliser efficacement l'énergie des aliments que nous consommons.

- Le gras de canard contient deux fois moins de gras saturés (mauvais gras) que le beurre et tolère mieux la chaleur. Il est effectivement riche en gras mono-insaturés (bons gras). C'est la raison pour laquelle la viande de canard peut être intégrée dans le cadre d'une saine alimentation puisque les gras mono-insaturés ont des effets bénéfiques sur la santé cardiovasculaire et sur le cholestérol, et ils réduiraient aussi la résistance à l'insuline. Mais attention, le gras de canard contient deux fois moins de gras mono-insaturés que les huiles végétales. Vous devriez donc privilégier les huiles végétales pour la cuisson de vos plats.

Salade de canard confit, canneberges et clémentines

PRÉPARATION : 15 MIN   CUISSON : 15-20 MIN   PORTIONS : 4

250 ml (1 tasse) de bouillon de poulet
à teneur réduite en sodium

125 ml (½ tasse) de couscous israélien
(perlé) ou couscous ordinaire sec

2 cuisses de canard confites (190 g)

400 g (10 tasses) de jeunes épinards

4 clémentines (380 g), pelées et séparées
en quartiers

135 g (1 tasse) de carottes, râpées

1 concombre (300 g), tranché

65 g (½ tasse) de canneberges séchées

30 g (¼ tasse) d'oignon rouge,
en rondelles

Vinaigrette

60 ml (¼ tasse) de jus d'orange

30 ml (2 c. à soupe) d'huile d'olive

15 ml (1 c. à soupe) de vinaigre de cidre

5 ml (1 c. à thé) de moutarde de Dijon

5 ml (1 c. à thé) de sirop d'érable

Sel et poivre au goût

- Préchauffer le four à 200 °C (400 °F).

- Dans une casserole, porter le bouillon de poulet à ébullition. Cuire le couscous selon les indications sur l'emballage. Laisser tiédir. Réserver.

- Sur une plaque allant au four recouverte d'un papier parchemin, cuire les 2 cuisses de canard pendant 15 à 20 min. Laisser tiédir.

- Dans un petit bol, mélanger les ingrédients de la vinaigrette. Réserver.

- Enlever le gras et la peau sur les cuisses de canard et effilocher la viande.

- Dans un grand saladier, combiner les épinards, les clémentines, les carottes, le concombre, les canneberges, l'oignon, le couscous et le canard effiloché avec la vinaigrette. Bien mélanger.

	CALORIES	GLUCIDES (g)	PROTÉINES (g)	LIPIDES (g)	FIBRES (g)	LÉGUMES	FRUITS	FÉCULENTS	VIANDES ET SUBSTITUTS	GRAS
PORTION	413	50	20	17	6	4	1	½	½	1

Salade crémeuse à la patate douce et au prosciutto

PRÉPARATION : 10 MIN* **CUISSON : 20 MIN** **PORTIONS : 4**

* Peut être préparée à l'avance

2 patates douces moyennes (700 g), non pelées, en dés

15 ml (1 c. à soupe) d'huile d'olive

5 ml (1 c. à thé) de paprika

5 ml (1 c. à thé) de poudre d'ail

Sel et poivre au goût

8 gros œufs

120 g (8 tranches) de prosciutto

2 branches de céleri (80 g), hachées

15 ml (1 c. à soupe) de ciboulette, hachée

Vinaigrette

60 ml (¼ tasse) de yogourt grec nature 0 %

30 ml (2 c. à soupe) de mayonnaise allégée

10 ml (2 c. à thé) de vinaigre de vin blanc

10 ml (2 c. à thé) de moutarde en grains à l'ancienne

Sel et poivre au goût

Accompagnement (par portion)

½ poivron rouge (88 g), tranché (ou légume équivalent, voir p. 24)

10 bâtonnets de céleri (40 g) (ou légume équivalent, voir p. 24)

- Préchauffer le four à 230 °C (450 °F).

- Dans un bol, mélanger les patates douces, l'huile d'olive, le paprika et la poudre d'ail. Saler et poivrer. Déposer sur une plaque allant au four recouverte d'un papier parchemin et cuire environ 20 min ou jusqu'à ce que les patates soient tendres. À la mi-cuisson, retourner les patates. Réserver et laisser tiédir.

- Plonger les œufs dans une casserole remplie d'eau froide. Porter à ébullition. Lorsque l'eau commence à bouillir, couvrir et retirer du feu. Laisser reposer 12 min. Plonger les œufs dans de l'eau très froide pour stopper la cuisson. Écaler les œufs et les couper en cubes.

- Sur la plaque qui a servi à cuire les patates, mettre les tranches de prosciutto et cuire au four environ 5 à 8 min afin de le rendre croustillant. Hacher et réserver.

- Dans un petit bol, mélanger les ingrédients de la vinaigrette.

- Dans un grand bol, mélanger tous les ingrédients : les patates douces, les œufs, le prosciutto, le céleri, la ciboulette et la vinaigrette.

	CALORIES	GLUCIDES (g)	PROTÉINES (g)	LIPIDES (g)	FIBRES (g)	LÉGUMES	FÉCULENTS	VIANDES ET SUBSTITUTS	GRAS	SUCRE
PORTION	405	41	25	17	6	½	2	1	1	½
ACCOMPAGNEMENT	31	7	2	2	2	2	–	–	–	–

Salade de légumineuses, mangue et avocat

540 ml (1 boîte) de légumineuses mixtes,
égouttées et rincées

150 g (1 tasse) de mangue pelée, en dés

1 avocat (140 g), en dés

6 petits concombres libanais (350 g),
en dés

150 g (1 tasse) de tomates cerises,
coupées en deux

1 poivron rouge (175 g), en dés

80 g (½ tasse) de fromage féta allégé*,
émietté

Sel et poivre au goût

*moins de 20 % m.g.

Vinaigrette

10 ml (2 c. à thé) d'huile d'olive

Jus d'une lime

30 ml (2 c. à soupe) de coriandre, hachée
(voir aussi p. 93, 105, 116, 129, 137, 151,
157, 164)

22,5 ml (1 ½ c. à soupe) de vinaigre
de vin blanc

- Dans un bol, mélanger les légumineuses, la mangue, l'avocat, les concombres, les tomates cerises, le poivron et le fromage féta. Saler et poivrer.

- Dans un petit bol, mélanger tous les ingrédients de la vinaigrette. Ajouter à la salade. Bien mélanger.

- Réfrigérer environ 15 min avant de déguster.

	CALORIES	GLUCIDES (g)	PROTÉINES (g)	LIPIDES (g)	FIBRES (g)	LÉGUMES	FRUITS	FÉCULENTS	VIANDES ET SUBSTITUTS	GRAS
PORTION	404	20	25	20	9	3	½	1	1	1

Potage poireaux et mascarpone

PRÉPARATION : 10 MIN*   CUISSON : 30 MIN   PORTIONS : 5

* Peut être préparée à l'avance

10 ml (2 c. à thé) d'huile d'olive

1 oignon (120 g), en cubes

2 gousses d'ail, hachées

3 poireaux moyens (500 g), hachés

3 petites pommes de terre blanches
(260 g), pelées, en cubes

Sel et poivre au goût

1 l (4 tasses) de bouillon de poulet
à teneur réduite en sodium

175 g (¾ tasse) de fromage mascarpone
(voir aussi p. 146, 211)

Accompagnement (par portion)

1 tranche (29 g) de pain de blé entier sans
gras ni sucre ajoutés ou sans gluten,
grillée

85 g (1 petite boîte) de thon pâle émietté
assaisonné au citron et poivre

- Dans une grande casserole, chauffer l'huile d'olive
à feu moyen et faire sauter l'oignon. Cuire environ
5 min. Ajouter l'ail, les poireaux et les pommes
de terre. Poursuivre la cuisson 5 min. Saler et
poivrer.

- Ajouter le bouillon de poulet, porter à ébullition,
puis baisser le feu. Couvrir et cuire 20 min ou
jusqu'à ce que les pommes de terre soient cuites.

- Lorsque les légumes sont cuits, ajouter le fromage
mascarpone. Bien mélanger. Au mélangeur, réduire
le potage en purée lisse.

	CALORIES	GLUCIDES (g)	PROTÉINES (g)	LIPIDES (g)	FIBRES (g)	LÉGUMES	FÉCULENTS	VIANDES ET SUBSTITUTS	GRAS
PORTION	247	29	8	12	4	2	½	–	1
ACCOMPAGNEMENT	170	14	22	4	4	–	½	½	–

Découvrez la pâte de cari

- Le cari (ou curry) est un mélange d'épices et d'herbes (dont du curcuma, du gingembre, du piment, de la coriandre). On utilise aussi ce mot pour désigner un mets indien. Ce mélange devient une pâte lorsqu'il est combiné à un agent plus liquide comme du yogourt, du lait de coco ou une purée de légumineuses.

- La couleur de la pâte de cari vous indique à quel point elle est épicée. La pâte de cari rouge est très épicée, la jaune l'est moyennement, tandis que la verte est douce. Les saveurs et parfums varient selon la couleur et la marque.

- Vous pouvez cuisiner votre propre pâte de cari ou encore vous la procurer dans les épiceries asiatiques ou dans la section asiatique ou indienne des épiceries traditionnelles.

Soupe thaïe au lait de coco

PRÉPARATION : 10 MIN*   CUISSON : 25 MIN   PORTIONS : 4

* Peut être préparée à l'avance

5 ml (1 c. à thé) d'huile d'olive

1 oignon (120 g), haché

2 gousses d'ail, hachées

30 ml (2 c. à soupe) de pâte de cari jaune
ou rouge (voir aussi p. 129)

400 ml (1 boîte) de lait de coco allégé
(voir aussi p. 119)

1 l (4 tasses) de bouillon de légumes à
teneur réduite en sodium

300 g (2 tasses) de carottes, tranchées

175 g (½ paquet) de tofu extra-ferme, en dés

1 piment fort thaï, haché finement, au goût

2,5 ml (½ c. à thé) de curcuma
(voir aussi p. 149, 170)

Sel et poivre au goût

100 g (1 tasse) de chou-fleur, en petits
bouquets

100 g (1 tasse) de brocoli, en petits bouquets

30 grosses crevettes (400 g), déveinées et
décortiquées

75 g (1 tasse) de vermicelles de riz, hachés
grossièrement

4 quartiers de lime

Feuilles de coriandre fraîches au goût (voir
aussi p. 93, 100, 116, 129, 137, 151, 157,
164)

- Dans une grande casserole, chauffer l'huile à feu
moyen-doux. Ajouter l'oignon et cuire environ 2 min.
Ajouter l'ail et faire revenir pendant 1 min.

- Ajouter la pâte de cari, le lait de coco, le bouillon
de légumes, les carottes, le tofu, le piment fort
et le curcuma. Saler et poivrer. Couvrir et porter
à ébullition, puis laisser mijoter à feu moyen-doux
environ 10 min. Ajouter ensuite le chou-fleur,
le brocoli et les crevettes. Poursuivre la cuisson
10 min. Ajouter les vermicelles de riz et laisser
reposer 1 min.

- Au moment de servir, garnir d'un quartier de lime
et de feuilles de coriandre.

	CALORIES	GLUCIDES (g)	PROTÉINES (g)	LIPIDES (g)	FIBRES (g)	LÉGUMES	FÉCULENTS	VIANDES ET SUBSTITUTS	GRAS
PORTION	420	40	35	17	4	2	1	1	1

Soupe à l'orge et au poulet de grand-maman

1 oignon (120 g), haché

1 poitrine de poulet (180 g), en dés

10 ml (2 c. à thé) d'huile d'olive

1 gousse d'ail, hachée

125 ml (½ tasse) d'orge perlé

1,5 l (6 tasses) de bouillon de poulet à teneur réduite en sodium

10 ml (2 c. à thé) de thym

5 ml (1 c. à thé) de poudre d'ail

Sel et poivre au goût

2 carottes (120 g), en dés

225 g (3 tasses) de chou vert, haché

250 ml (1 tasse) de petits pois verts, décongelés ou frais

200 g (2 tasses) de brocoli, en petits bouquets

150 g (1 ½ tasse) de haricots verts, coupés en tronçons

· Dans une grande casserole, cuire les oignons et le poulet dans l'huile d'olive à feu moyen-doux pendant 5 min. Ajouter l'ail et l'orge, cuire 1 min.

· Ajouter le bouillon de poulet, le thym et la poudre d'ail. Saler et poivrer. Couvrir, porter à ébullition, puis laisser mijoter à feu doux pendant 30 min.

· Ajouter les carottes et le chou. Poursuivre la cuisson 10 min. Ajouter les petits pois, le brocoli et les haricots, et poursuivre la cuisson 5 min.

	CALORIES	GLUCIDES (g)	PROTÉINES (g)	LIPIDES (g)	FIBRES (g)	LÉGUMES	FÉCULENTS	VIANDES ET SUBSTITUTS	GRAS
PORTION	390	58	32	5	15	4	2	½	½

Crème de tomate et cheddar

10 ml (2 c. à thé) d'huile d'olive

1 oignon (120 g), haché

4 gousses d'ail, hachées

6 morceaux de tomates séchées dans l'huile, égouttés et hachés finement (voir aussi p. 160)

1 l (4 tasses) de tomates en dés à teneur réduite en sodium

500 ml (2 tasses) de bouillon de légumes à teneur réduite en sodium

540 ml (1 boîte) de haricots blancs, rincés et égouttés

30 ml (2 c. à soupe) de pâte de tomates (voir aussi p. 112, 127, 132, 134, 149)

5 ml (1 c. à thé) de romarin frais ou séché (voir aussi p. 110, 147)

5 ml (1 c. à thé) de basilic séché

Sel et poivre au goût

120 g (1 tasse) de fromage cheddar, râpé

250 ml (1 tasse) de croûtons du commerce ou faits maison

250 ml (1 tasse) de tomates cerises, coupées en quatre

- Dans une grande casserole, chauffer l'huile à feu moyen-vif. Ajouter l'oignon et cuire environ 2 min. Ajouter l'ail et faire revenir une 1 min.

- Ajouter les tomates séchées, les tomates, le bouillon de légumes, les haricots, la pâte de tomates, le romarin et le basilic. Saler et poivrer. Porter à ébullition, puis baisser le feu et laisser mijoter 30 min.

- Dans un mélangeur, réduire le mélange en purée lisse.

- Au moment de servir, garnir chaque bol de soupe de ¼ du fromage, de croûtons et de tomates cerises en quartiers.

	CALORIES	GLUCIDES (g)	PROTÉINES (g)	LIPIDES (g)	FIBRES (g)	LÉGUMES	FÉCULENTS	VIANDES ET SUBSTITUTS
PORTION	387	47	21	15	11	2	1 ½	1

Potage au chou-fleur et aux champignons sautés à l'ail

PRÉPARATION : 15 MIN*   CUISSON : 25 MIN   PORTIONS : 4

* Peut être préparée à l'avance

15 ml (1 c. à soupe) d'huile d'olive

1 oignon blanc (120 g), haché

4 gousses d'ail, hachées

1 chou-fleur (850 g), en bouquets

1 pomme de terre Russet (250 g), pelée, en cubes

1,5 l (6 tasses) de bouillon de légumes à teneur réduite en sodium

Sel et poivre au goût

150 g (2 tasses) de champignons blancs, tranchés

5 ml (1 c. à thé) de romarin frais ou séché (voir aussi p. 109, 147)

Accompagnement (par portion)

½ pita de blé entier de 16,5 cm (6,5 po) ou 1 petite tranche de pain (29 g) sans gluten

85 g (1 petite boîte) de thon pâle émietté assaisonné aux tomates séchées et basilic

- Dans une grande casserole, chauffer 5 ml (1 c. à thé) d'huile d'olive à feu moyen-doux et faire sauter l'oignon environ 3 min. Ajouter 2 gousses d'ail, le chou-fleur et la pomme de terre, puis poursuivre la cuisson 2 min. Ajouter le bouillon de légumes. Saler et poivrer.

- Porter à ébullition puis baisser le feu, couvrir et cuire pendant 20 min ou jusqu'à ce que les pommes de terre et le chou-fleur soient tendres (attention de ne pas trop cuire).

- Lorsque le potage est prêt, le réduire en purée lisse à l'aide d'un broyeur à main ou dans un mélangeur. Réserver au chaud.

- Dans une poêle antiadhésive, chauffer 10 ml (2 c. à thé) d'huile d'olive à feu moyen-vif. Ajouter les champignons, cuire environ 2 min de chaque côté en s'assurant de bien les caraméliser. Ajouter les 2 autres gousses d'ail et le romarin, poursuivre la cuisson 1 min. Saler et poivrer.

- Garnir le potage des champignons à l'ail au moment de servir.

	CALORIES	GLUCIDES (g)	PROTÉINES (g)	LIPIDES (g)	FIBRES (g)	LÉGUMES	FÉCULENTS	VIANDES ET SUBSTITUTS	GRAS
PORTION	180	29	8	5	6	3 ½	½	–	¼
ACCOMPAGNEMENT	195	21	21	6	2	–	1	½	–

Soupe aux boulettes de dinde

(photo p. 115)

ZÉRO DIÈTE 2 •

454 g (1 lb) de dinde hachée extra-maigre

85 g (½ tasse) d'oignon, haché

5 gousses d'ail, hachées

50 g (⅓ tasse) de fromage féta allégé*, émietté

Sel et poivre au goût

10 ml (2 c. à thé) d'huile d'olive

1 carotte (60 g), en petits dés

1 branche de céleri (40 g), tranchée

200 g (2 tasses) de chou vert, en cubes

2 l (8 tasses) de bouillon de poulet à teneur réduite en sodium

115 g (¾ tasse) de petites pâtes (type coquilles)

30 ml (2 c. à soupe) de pâte de tomates (voir aussi p. 109, 127, 132, 134, 149)

5 ml (1 c. à thé) de paprika

5 ml (1 c. à thé) de cumin (voir aussi p. 116, 137, 157, 170)

80 g (2 tasses) de jeunes épinards

* moins de 20 % m.g.

Accompagnement (par portion)

3 craquelins de seigle ou autre (Ryvita)

- Dans un grand bol, mélanger la dinde, 42 g (¼ tasse) d'oignon, 3 gousses d'ail et la féta. Saler et poivrer. Former environ 25 petites boulettes.

- Dans une grande casserole, chauffer l'huile d'olive à feu moyen, puis cuire quelques boulettes à la fois pour qu'elles soient bien dorées. Réserver.

- Dans la même casserole, dorer le reste des oignons avec la carotte et le céleri. Cuire à feu moyen-doux environ 5 min. Ajouter le reste de l'ail et le chou, puis poursuivre la cuisson 1 min.

- Ajouter le bouillon de poulet, les boulettes, les pâtes, la pâte de tomates, le paprika et le cumin. Mélanger et porter à ébullition. Poursuivre la cuisson 10 min à feu doux. Saler et poivrer.

- Ajouter les épinards et poursuivre la cuisson 2 min.

	CALORIES	GLUCIDES (g)	PROTÉINES (g)	LIPIDES (g)	FIBRES (g)	LÉGUMES	FÉCULENTS	VIANDES ET SUBSTITUTS
PORTION	325	28	30	12	3	2	1	1
ACCOMPAGNEMENT	110	25	3	1	5	–	1	–

Velouté de brocoli, parmesan et prosciutto (photo p. 115)

PRÉPARATION : 10 MIN*   CUISSON : 24 MIN   PORTIONS : 4

* Peut être préparée à l'avance

10 ml (2 c. à thé) d'huile d'olive

1 gros oignon blanc (120 g), haché

2 gousses d'ail, hachées

500 g (5 tasses) de tiges et de bouquets de brocoli, en morceaux

1 pomme de terre Russet (300 g), pelée, en cubes

750 ml (3 tasses) de bouillon de légumes à teneur réduite en sodium

5 ml (1 c. à thé) de sauce Worcestershire

Sel et poivre au goût

250 ml (1 tasse) de lait 1%

120 g (8 tranches) de prosciutto, haché

60 ml (¼ tasse) de parmesan, râpé

Accompagnement (par portion)

5 tranches minces (47 g) de baguette de pain multigrain ou sans gluten, grillées

- Dans une grande casserole, chauffer l'huile d'olive à feu moyen-doux et faire sauter l'oignon environ 5 min.

- Ajouter l'ail, le brocoli, la pomme de terre et poursuivre la cuisson environ 2 min, puis ajouter le bouillon de légumes et la sauce Worcestershire. Saler et poivrer. Porter à ébullition, couvrir et baisser le feu, puis laisser mijoter à feu moyen-doux 15 min.

- Verser la soupe dans un mélangeur et la réduire en purée lisse.

- Remettre le potage dans la casserole et ajouter le lait. Laisser mijoter à feu doux 2 min.

- Dans une poêle, faire sauter les morceaux de prosciutto pour qu'ils deviennent croustillants.

- Garnir chaque bol de 15 ml (1 c. à soupe) de parmesan et de ¼ du prosciutto au moment de servir.

	CALORIES	GLUCIDES (g)	PROTÉINES (g)	LIPIDES (g)	FIBRES (g)	LÉGUMES	FÉCULENTS	LAIT ET SUBSTITUTS	VIANDES ET SUBSTITUTS
PORTION	263	30	18	9	6	2	½	¼	½
ACCOMPAGNEMENT	135	23	7	3	4	–	1	–	–

Soupe minestrone au pesto

PRÉPARATION : 15 MIN*   CUISSON : 28 MIN   PORTIONS : 4

* Peut être préparée à l'avance

1 oignon (120 g), haché

10 ml (2 c. à thé) d'huile d'olive

3 gousses d'ail, hachées

796 ml (1 boîte) de tomates en dés
    à teneur réduite en sodium

1 l (4 tasses) de bouillon de poulet
    à teneur réduite en sodium

540 ml (1 boîte) de haricots rouges,
    égouttés et rincés

150 g (2 tasses) de chou vert, haché

1 courgette (200 g), en dés

1 poivron rouge (175 g), en dés

80 ml (⅓ tasse) de pesto du commerce
    (voir aussi p. 47, 64, 88, 144)

10 ml (2 c. à thé) de thym séché

10 ml (2 c. à thé) de basilic séché

5 ml (1 c. à thé) de poudre d'ail

1 feuille de laurier

Sel et poivre au goût

75 g (1 tasse) de petites pâtes
    (type coquilles)

· Dans une grande casserole, cuire l'oignon dans l'huile d'olive à feu moyen-doux pendant 2 min. Ajouter l'ail et cuire 1 min.

· Ajouter les tomates, le bouillon de poulet, les haricots, le chou, la courgette, le poivron, 60 ml (¼ tasse) de pesto, le thym, le basilic, la poudre d'ail et la feuille de laurier. Saler et poivrer. Couvrir, porter à ébullition, puis laisser mijoter à feu doux pendant 20 min.

· Dans une petite casserole, faire cuire les pâtes dans de l'eau bouillante selon les indications sur l'emballage. Réserver.

· Ajouter les pâtes à la soupe. Couvrir et poursuivre la cuisson pendant 5 min.

· Garnir chaque bol de 5 ml (1 c. à thé) de pesto au moment de servir.

	CALORIES	GLUCIDES (g)	PROTÉINES (g)	LIPIDES (g)	FIBRES (g)	LÉGUMES	FÉCULENTS	VIANDES ET SUBSTITUTS	GRAS
PORTION	415	58	23	13	12	3	1	½	½

Soupe aux boulettes de dinde, p. 112

Velouté de brocoli, parmesan et prosciutto, p. 113

Soupe minestrone au pesto

Soupe mexicaine aux tortillas, p. 116

Soupe mexicaine aux tortillas (photo p. 115)

PRÉPARATION : 10 MIN   CUISSON : 23 MIN   PORTIONS : 4

10 ml (2 c. à thé) d'huile d'olive

1 oignon (120 g), haché

2 gousses d'ail, hachées

1 piment jalapeno, haché finement
(voir aussi p. 67)

796 ml (1 boîte) de tomates en dés
à teneur réduite en sodium

1,5 l (6 tasses) de bouillon de poulet
à teneur réduite en sodium

540 ml (1 boîte) de haricots noirs, rincés
et égouttés

5 ml (1 c. à thé) de cumin
(voir aussi p. 112, 137, 157, 170)

2,5 ml (½ c. à thé) de paprika

Sel et poivre au goût

1 tortilla de blé entier (75 g) de 25 cm
(10 po), en petites lanières

120 g (1 tasse) de fromage mozzarella
partiellement écrémé, râpé

1 avocat (130 g), tranché

4 quartiers de lime

Feuilles de coriandre fraîches au goût
(voir aussi p. 93, 100, 105, 129, 137, 151,
157, 164)

- Préchauffer le four à 180 °C (350 °F).

- Dans une grande casserole, chauffer l'huile à feu
moyen-doux. Ajouter l'oignon et cuire environ 2 min.
Ajouter l'ail et le piment jalapeno, faire revenir
1 min.

- Ajouter les tomates, le bouillon de poulet, les haricots, le cumin et le paprika. Saler et poivrer. Porter
à ébullition, puis baisser le feu. Laisser mijoter
20 min.

- Sur une plaque allant au four, cuire les morceaux
de tortilla environ 5 min pour qu'ils soient croustillants. Réserver.

- Au moment de servir, garnir chaque bol de ¼ du
fromage, de bâtonnets de tortilla croustillants,
de tranches d'avocat, d'un quartier de lime et de
quelques feuilles de coriandre.

Accompagnement (par portion)

¼ concombre (100 g), tranché
(ou légume équivalent, voir p. 24)

½ poivron rouge (88 g), tranché
(ou légume équivalent, voir p. 24)

	CALORIES	GLUCIDES (g)	PROTÉINES (g)	LIPIDES (g)	FIBRES (g)	LÉGUMES	FÉCULENTS	VIANDES ET SUBSTITUTS	GRAS
PORTION	393	48	25	14	11	2	1 ½	½	½
ACCOMPAGNEMENT	43	9	2	1	2	2	–	–	–

soupers

BOK CHOY : Y GOÛTER, C'EST L'ADOPTER !

- L'une des 33 variétés de chou venant de Chine, le bok choy gagne à être connu et cuisiné. Son goût très doux facilite son intégration au menu !

- Il est riche en vitamines A, B, C et K, ainsi qu'en potassium et en fer. Comme il est aussi très riche en composés antioxydants, son potentiel anticancéreux est fort.

- Il se mange cru, avec une trempette ou en salade, ou encore cuit, dans un sauté. Vous n'avez qu'à couper légèrement la base, puis à retirer et trancher les feuilles.

Hauts de cuisse asiatiques au lait de coco

PRÉPARATION : 10 MIN* **CUISSON : 20 MIN** **PORTIONS : 4**

* Peut être préparée à l'avance

375 ml (1 ½ tasse) de bouillon de poulet à teneur réduite en sodium

190 ml (¾ tasse) de riz basmati

5 ml (1 c. à thé) d'huile d'olive

1 oignon (120 g), haché

2 gousses d'ail, hachées

5 hauts de cuisse de poulet (400 g), le gras retiré, en lanières

Sel et poivre au goût

250 ml (1 tasse) de lait de coco allégé (voir aussi p. 105)

60 ml (¼ tasse) de sauce soya à teneur réduite en sodium (ou sans gluten)

30 ml (2 c. à soupe) de sirop d'érable

400 g (5 tasses) de bok choys miniatures, tranchés

2 poivrons rouges (350 g), tranchés

- Dans une casserole, porter le bouillon de poulet à ébullition et cuire le riz selon les indications sur l'emballage.

- Dans une autre casserole, chauffer l'huile d'olive à feu moyen, ajouter l'oignon et cuire 2 min. Ajouter l'ail et les hauts de cuisse, poursuivre la cuisson 3 min pour bien caraméliser la viande. Saler et poivrer.

- Ajouter le lait de coco, la sauce soya et le sirop d'érable. Laisser mijoter 10 min. Ajouter les bok choys et les poivrons, couvrir et poursuivre la cuisson 5 min.

- Servir le mélange de poulet sur le riz.

	CALORIES	GLUCIDES (g)	PROTÉINES (g)	LIPIDES (g)	FIBRES (g)	LÉGUMES	FÉCULENTS	VIANDES ET SUBSTITUTS	GRAS	SUCRE
PORTION	428	51	28	13	4	2	1 ½	1	½	½

Poulet braisé aux pommes et à la courge

8 hauts de cuisse de poulet (625 g), le gras retiré, en cubes

10 ml (2 c. à thé) de farine tout usage non blanchie (ou sans gluten)

10 ml (2 c. à thé) d'huile d'olive

1 oignon (120 g), en dés

Sel et poivre au goût

4 carottes (240 g), tranchées

2 gousses d'ail, hachées

3 pommes (Cortland, Empire, Gala ou McIntosh) (350 g), pelées et tranchées

300 g (2 tasses) de courge musquée (Butternut), en cubes

160 g (1 tasse) de pomme de terre rouge, en dés

60 ml (¼ tasse) de vin blanc

500 ml (2 tasses) de bouillon de poulet à teneur réduite en sodium

250 ml (1 tasse) de compote de pommes non sucrée

45 ml (3 c. à soupe) de vinaigre de cidre de pomme

30 ml (2 c. à soupe) de moutarde de Dijon

5 ml (1 c. à thé) de thym séché

- Dans un bol, enfariner les morceaux de poulet. Réserver.

- Dans une grande casserole, chauffer l'huile d'olive à feu moyen-vif et cuire l'oignon pendant 2 min. Ajouter le poulet et poursuivre la cuisson 2 min. Saler et poivrer.

- Ajouter les carottes, l'ail, les pommes, la courge, la pomme de terre et poursuivre la cuisson 2 min.

- Déglacer au vin blanc et attendre quelques secondes. Ajouter le bouillon de poulet, la compote de pommes, le vinaigre de cidre, la moutarde et le thym. Porter à ébullition.

- Couvrir, baisser à feu moyen et laisser mijoter pendant environ 20 min. À la mi-cuisson, retirer le couvercle.

	CALORIES	GLUCIDES (g)	PROTÉINES (g)	LIPIDES (g)	FIBRES (g)	LÉGUMES	FRUITS	FÉCULENTS	VIANDES ET SUBSTITUTS	GRAS
PORTION	421	45	35	11	6	3	1	½	1 ½	¼

Poulet au brocoli, sauce soya-gingembre

80 ml (⅓ tasse) de sauce soya à teneur réduite en sodium (ou sans gluten)

80 ml (⅓ tasse) de mirin (vin de riz japonais)

30 ml (2 c. à soupe) de miel

10 ml (2 c. à thé) de gingembre frais, râpé (voir aussi p. 125, 140, 151, 164)

1 gousse d'ail, hachée

3 poitrines de poulet (540 g), tranchées

125 g (environ ¼ paquet) de nouilles de riz asiatiques

10 ml (2 c. à thé) d'huile d'olive

1 oignon (120 g), en dés

Sel et poivre au goût

400 g (4 tasses) de brocoli, en petits bouquets

- Dans un sac hermétique, combiner la sauce soya, le mirin, le miel, le gingembre, l'ail et le poulet. Bien mélanger et laisser mariner environ 30 min.

- Dans une casserole d'eau bouillante, faire cuire les nouilles de riz 2 min. Égoutter et réserver.

- Dans un wok, chauffer l'huile à feu moyen et cuire l'oignon pendant 2 min. Ajouter le poulet avec la sauce, porter à ébullition et cuire environ 5 min. Saler et poivrer. Ajouter les brocolis, poursuivre la cuisson pendant 5 min.

- Ajouter les nouilles. Bien mélanger.

	CALORIES	GLUCIDES (g)	PROTÉINES (g)	LIPIDES (g)	FIBRES (g)	LÉGUMES	FÉCULENTS	VIANDES ET SUBSTITUTS	SUCRE
PORTION	414	57	36	4	4	1 ½	1	1 ½	1 ⅓

LA SAUCE AUX HUÎTRES : NON, ELLE NE GOÛTE PAS LE POISSON !

Le nom de cette sauce peut décourager certains de l'intégrer à leurs plats. Mais laissez une chance à cette rivale de la sauce soya et vous l'utiliserez plus souvent que vous le pensez ! De couleur brune, elle parfume les plats en leur donnant un goût sucré-salé. Elle se marie très bien aux sautés de légumes et aux plats de volaille et de poisson. Vous la trouverez facilement dans la section des produits asiatiques de votre épicerie.

Sauté de poulet aux noix de cajou

PRÉPARATION : 10 MIN*   CUISSON : 20 MIN   PORTIONS : 4

*Peut être préparée à l'avance

- 500 ml (2 tasses) de bouillon de poulet à teneur réduite en sodium
- 250 ml (1 tasse) de riz basmati blanc
- 1 oignon (120 g), en dés
- 5 ml (1 c. à thé) d'huile d'olive
- 2 poitrines de poulet (360 g), en dés
- Sel et poivre au goût
- 3 gousses d'ail, hachées
- 5 ml (1 c. à thé) de gingembre frais, râpé (voir aussi p. 122, 140, 151, 164)
- 1 grosse carotte (100 g), râpée
- 1 poivron rouge (175 g), en dés
- 150 g (1 ½ tasse) de pois mange-tout, coupés en deux
- 30 ml (2 c. à soupe) de vinaigre de riz
- 15 ml (1 c. à soupe) de sauce aux huîtres
- 15 ml (1 c. à soupe) de sauce soya à teneur réduite en sodium (ou sans gluten)
- 15 ml (1 c. à soupe) de miel
- 60 ml (¼ tasse) de noix de cajou non salées, hachées
- 1 oignon vert (15 g), haché

- Dans une casserole, porter le bouillon de poulet à ébullition. Ajouter le riz. Cuire selon les indications sur l'emballage.
- Dans une poêle, dorer l'oignon dans l'huile d'olive à feu moyen pendant 2 min. Ajouter le poulet, poursuivre la cuisson 5 min. Saler et poivrer. Réserver.
- Dans la même poêle, combiner l'ail, le gingembre, la carotte, le poivron et les pois mange-tout, puis cuire pendant 5 min. Saler et poivrer.
- Dans un petit bol, mélanger le vinaigre de riz, la sauce aux huîtres, la sauce soya et le miel. Ajouter à la poêle. Poursuivre la cuisson 2 min en remuant. Ajouter les noix de cajou à la toute fin, au moment de servir. Garnir d'oignon vert.

	CALORIES	GLUCIDES (g)	PROTÉINES (g)	LIPIDES (g)	FIBRES (g)	LÉGUMES	FÉCULENTS	VIANDES ET SUBSTITUTS	GRAS	SUCRE
PORTION	409	60	29	7	4	2	2	1	½	½

Chauffée, elle augmente son potentiel anticancéreux. De qui s'agit-il?

La tomate ! Elle contient du lycopène, responsable de son pigment rouge, mais surtout du potentiel anticancéreux de ce « fruit-légume ».

- L'action anticancéreuse du lycopène est maximisée lorsque la tomate est cuite. De plus, lorsqu'il y a présence de gras lors de la cuisson, une plus grande quantité de la molécule est libérée, ce qui permet au corps d'en absorber davantage.

- Son principal atout est la prévention de plusieurs types de cancer, principalement le cancer de la prostate.

- La teneur en lycopène est plus importante encore dans la soupe ou la pâte de tomates.

Rigatonis au poulet, sauce rosée

10 ml (2 c. à thé) d'huile d'olive

½ oignon (60 g), haché

3 gousses d'ail, hachées

400 ml (1 boîte) de sauce tomate
à teneur réduite en sodium

1 grosse tomate (200 g), en dés

30 ml (2 c. à soupe) de pâte de tomates
(voir aussi p. 109, 112, 132, 134, 149)

10 ml (2 c. à thé) de basilic séché

5 ml (1 c. à thé) d'origan séché

5 ml (1 c. à thé) de poudre d'ail

Sel et poivre au goût

1 poitrine de poulet (180 g), en dés

220 g (2 ¾ tasses) de rigatonis

2 courgettes (400 g), en dés

1 poivron rouge (175 g), en dés

130 g (½ tasse) de fromage ricotta
(voir aussi p. 42, 158)

60 ml (¼ tasse) de fromage parmesan,
râpé

- Dans une casserole, à feu moyen, chauffer 5 ml (1 c. à thé) d'huile d'olive. Ajouter l'oignon, puis cuire environ 2 min. Ajouter l'ail et poursuivre la cuisson 1 min.

- Ajouter la sauce tomate, la tomate, la pâte de tomates, le basilic, l'origan et la poudre d'ail. Saler et poivrer. Cuire à feu doux pendant 20 min.

- Pendant ce temps, chauffer 5 ml (1 c. à thé) d'huile d'olive dans une poêle. Cuire le poulet à feu moyen pendant environ 5 min tout en remuant régulièrement. Réserver dans un bol.

- Cuire les pâtes selon les indications sur l'emballage.

- Ajouter les légumes à la poêle et cuire pendant 7 min, à feu moyen, en remuant régulièrement. Saler et poivrer. Ajouter le poulet à la poêle avec les légumes et réserver au chaud.

- Lorsque la sauce est prête, ajouter le fromage ricotta. Bien mélanger et attendre quelques minutes pour que la sauce se réchauffe. À l'aide d'un mélangeur sur pied, broyer la sauce pour une consistance onctueuse.

- Une fois les pâtes prêtes et égouttées, les remettre dans la casserole, ajouter la sauce, les légumes et le poulet. Bien mélanger.

- Garnir chaque assiette de 15 ml (1 c. à soupe) de fromage parmesan.

	CALORIES	GLUCIDES (g)	PROTÉINES (g)	LIPIDES (g)	FIBRES (g)	LÉGUMES	FÉCULENTS	VIANDES ET SUBSTITUTS
PORTION	434	60	27	11	5	3	2	1

Burgers à la thaïe et salade de chou asiatique

Salade de chou asiatique

200 g (2 tasses) de choux vert et rouge, hachés

10 ml (2 c. à thé) d'huile d'olive

10 ml (2 c. à thé) de vinaigre de riz

5 ml (1 c. à thé) de miel

Jus d'une lime

Sel et poivre au goût

Burgers

454 g (1 lb) de dinde hachée extra-maigre

½ oignon (60 g), haché finement

2 gousses d'ail, hachées finement

60 g (½ tasse) de carotte, râpée

15 ml (1 c. à soupe) de pâte de cari rouge
   (voir aussi p. 105)

15 ml (1 c. à soupe) de sauce de poisson
   (voir aussi p. 93)

60 ml (¼ tasse) de coriandre, hachée
   finement (voir aussi p. 93, 100, 105, 116, 137,
   151, 157, 164)

Sel et poivre au goût

5 ml (1 c. à thé) d'huile d'olive

4 pains minces à hamburger multigrains (300 g)

20 ml (4 c. à thé) de sauce hoisin
   (voir aussi p. 70, 140)

- Dans un bol, mélanger tous les ingrédients de la salade de chou. Saler et poivrer. Réserver au réfrigérateur.

- Dans un bol, mélanger la dinde hachée, l'oignon, l'ail, la carotte, la pâte de cari, la sauce de poisson et la coriandre. Saler et poivrer. Former quatre galettes uniformes.

- Dans une poêle, chauffer l'huile d'olive à feu moyen-vif, puis cuire les boulettes environ 4 min de chaque côté en couvrant afin d'accélérer la cuisson.

- Pour garnir les hamburgers, ajouter 5 ml (1 c. à thé) de sauce hoisin sur chaque galette, et ¼ de la salade de chou.

	CALORIES	GLUCIDES (g)	PROTÉINES (g)	LIPIDES (g)	FIBRES (g)	LÉGUMES	FÉCULENTS	VIANDES ET SUBSTITUTS	GRAS	SUCRE
PORTION	412	49	31	11	6	1	2	1	¼	½

Burgers de dinde, canneberges, pomme et cheddar

PRÉPARATION : 10 MIN   CUISSON : 13 MIN   PORTIONS : 4

454 g (1 lb) de dinde hachée extra-maigre

½ oignon (60 g), haché finement

2 gousses d'ail, hachées finement

60 ml (¼ tasse) de canneberges séchées, hachées

15 ml (1 c. à soupe) de moutarde de Dijon

15 ml (1 c. à soupe) de vinaigre de cidre

Sel et poivre au goût

5 ml (1 c. à thé) d'huile d'olive

60 g (8 petites tranches) de fromage cheddar allégé*

30 ml (2 c. à soupe) de yogourt grec nature 0 %

30 ml (2 c. à soupe) de mayonnaise allégée

10 ml (2 c. à thé) de moutarde en grains à l'ancienne

10 ml (2 c. à thé) de sirop d'érable

4 pains à hamburger multigrains (ou de blé entier) ou 8 tranches de pain multigrain, grillés

1 pomme verte (135 g), tranchée

80 g (2 tasses) de roquette

* 18 % m.g.

- Dans un bol, mélanger la dinde, l'oignon, l'ail, les canneberges, la moutarde de Dijon et le vinaigre de cidre. Saler et poivrer. Former 4 galettes uniformes.

- Dans une poêle à feu moyen-vif, cuire les galettes dans l'huile d'olive 5 min d'un côté. Retourner et ajouter 2 tranches de cheddar par galette. Cuire 3 min en couvrant afin d'accélérer la cuisson.

- Pendant ce temps, préparer la mayonnaise à la moutarde et à l'érable. Dans un petit bol, mélanger le yogourt grec, la mayonnaise, la moutarde en grains à l'ancienne et le sirop d'érable. Réserver.

- Griller les pains.

- Pour garnir les hamburgers, ajouter la mayonnaise au sirop d'érable sur chaque pain, puis les galettes, des tranches de pomme verte et une poignée de roquette.

Accompagnement (par portion)

80 g (2 tasses) de mesclun

15 ml (1 c. à soupe) de vinaigrette balsamique à l'orange sans gras (voir recette p. 172)

	CALORIES	GLUCIDES (g)	PROTÉINES (g)	LIPIDES (g)	FIBRES (g)	LÉGUMES	FRUITS	FÉCULENTS	VIANDES ET SUBSTITUTS	GRAS	SUCRE
PORTION	398	37	33	14	4	1	½	1	1 ½	½	–
ACCOMPAGNEMENT	34	8	3	1	2	2	–	–	–	–	½

LA CANNEBERGE : UN FRUIT EXCEPTIONNEL

- Les bienfaits de la canneberge ne se restreignent pas uniquement à son pouvoir de prévention des infections urinaires. La canneberge est réputée pour son activité antioxydante, ce qui explique pourquoi on l'associe également à la prévention des maladies cardiovasculaires ainsi que du cancer. Comme les propriétés anticancéreuses sont présentes dans la peau de la canneberge, on devrait consommer le fruit plutôt que son jus.

- Ajoutez des canneberges séchées à vos muffins et barres maison ou parsemez-en vos yogourts, vos céréales et vos salades, et le tour est joué !

Lasagne à la dinde et aux légumes grillés (photo p. 136)

PRÉPARATION : 10 MIN*   CUISSON : 1 H 30   PORTIONS : 6
* Peut être préparée à l'avance

1 oignon (120 g), haché

10 ml (2 c. à thé) d'huile d'olive

2 gousses d'ail, hachées

454 g (1 lb) de dinde hachée extra-maigre

796 ml (1 boîte) de tomates en dés à teneur réduite en sodium

30 ml (2 c. à soupe) de pâte de tomates (voir aussi p. 109, 112, 127, 134, 149)

10 ml (2 c. à thé) de basilic séché

10 ml (2 c. à thé) d'origan séché

5 ml (1 c. à thé) de poudre d'ail

5 ml (1 c. à thé) de sirop d'érable

2,5 ml (½ c. à thé) de piment en flocons

Sel et poivre au goût

2 poivrons rouges (350 g), tranchés

1 aubergine (400 g), en dés

160 g (4 tasses) de jeunes épinards

350 g (1 paquet) de pâtes à lasagne fraîches

500 ml (2 tasses) de fromage mozzarella partiellement écrémé, râpé

- Préchauffer le four à 180 °C (350 °F).

- Dans une casserole, cuire pendant 2 min l'oignon dans 5 ml (1 c. à thé) d'huile d'olive, à feu moyen-doux. Ajouter l'ail et la dinde, poursuivre la cuisson 5 min.

- Ajouter les tomates, la pâte de tomates, le basilic, l'origan, la poudre d'ail, le sirop d'érable et le piment en flocons. Saler et poivrer. Laisser mijoter à découvert et à feu doux pendant 30 min.

- Dans une grande poêle, faire sauter les poivrons et l'aubergine dans 5 ml (1 c. à thé) d'huile d'olive pendant 5 min. Réserver. Dans la même poêle, ajouter les épinards, saler et poivrer, puis cuire 1 min. Réserver.

- Pour monter la lasagne, napper le fond d'un plat de cuisson de 32 × 22 cm (13 × 9 po) de 60 ml (¼ tasse) de sauce tomate. Déposer ¼ des pâtes à lasagne. Couvrir de 250 ml (1 tasse) de sauce et ajouter la moitié des légumes. Déposer ¼ des pâtes. Couvrir de 250 ml (1 tasse) de sauce et ajouter la moitié du fromage. Déposer ¼ des pâtes. Couvrir de 250 ml (1 tasse) de sauce et ajouter le reste des légumes. Déposer le dernier ¼ des pâtes. Couvrir de 250 ml (1 tasse) de sauce et ajouter le reste du fromage.

- Recouvrir d'un papier aluminium et cuire au four environ 1 h. Environ 15 min avant la fin de la cuisson, retirer le papier d'aluminium pour faire dorer le fromage.

	CALORIES	GLUCIDES (g)	PROTÉINES (g)	LIPIDES (g)	FIBRES (g)	LÉGUMES	FÉCULENTS	VIANDES ET SUBSTITUTS
PORTION	437	48	35	13	8	3	1	1 ¼

L'AUBERGINE, GORGÉE DE VITAMINES ET DE MINÉRAUX !

- Excellent antioxydant en raison de sa peau foncée (qu'il faut donc manger pour en retirer les bienfaits), l'aubergine contient une grande quantité de vitamines et minéraux dont les vitamines A, B_6, B_{12}, C et D ainsi que du fer, du magnésium et du calcium. Elle est aussi reconnue pour son effet anticonstipation.

- Gratinée avec de la sauce tomate, en purée ou en ratatouille, l'aubergine est également intégrée à la moussaka, un plat traditionnel grec. À essayer ! On peut aussi consommer l'aubergine simplement grillée comme légume d'accompagnement : tranchez-la en rondelles d'environ 1 cm (½ po d'épaisseur), placez-les sur une plaque de cuisson avec un peu d'huile d'olive, faites-les dorer au four de chaque côté, puis salez-les… Un vrai délice !

Spaghetti sauce à la viande revisité

(photo p. 136)

PRÉPARATION : 20 MIN*   CUISSON : 1H   PORTIONS : 4
* Peut être préparée à l'avance

10 ml (2 c. à thé) d'huile d'olive

1 oignon (120 g), haché finement

1 carotte (60 g), en petits dés

1 grosse branche de céleri (60 g),
en petits dés

4 gousses d'ail, hachées

796 ml (1 boîte) de tomates en dés
à teneur réduite en sodium

5 ml (1 c. à thé) de pâte de tomates
(voir aussi p. 109, 112, 127, 132, 149)

5 ml (1 c. à thé) de sirop d'érable

10 ml (2 c. à thé) de basilic frais, haché
(ou séché)

10 ml (2 c. à thé) d'origan séché

Sel et poivre au goût

300 g (11 oz) de dinde hachée
extra-maigre

240 g de spaghettis de blé entier

30 ml (2 c. à soupe) de persil, haché
finement (voir aussi p. 144, 152)

25 g (¼ tasse) de fromage parmesan, râpé

- Dans une grande casserole, faire sauter dans 5 ml
(1 c. à thé) d'huile d'olive l'oignon, la carotte,
le céleri et l'ail. Cuire 5 min à feu doux.

- Ajouter les tomates, la pâte de tomates, le sirop
d'érable, le basilic et l'origan. Saler et poivrer.
Laisser mijoter à feu doux pendant 45 min.

- Dans une poêle, chauffer 5 ml (1 c. à thé) d'huile
d'olive et cuire la dinde hachée environ 5 min.
Saler et poivrer. Réserver.

- À l'aide d'un mélangeur sur pied, réduire la sauce
tomate en purée. Ajouter la dinde hachée et bien
mélanger. Couvrir, baisser le feu et laisser mijoter
15 min en brassant régulièrement.

- Cuire les pâtes selon les indications sur l'emballage.

- Garnir les pâtes de sauce à spaghetti, de ¼ du persil
et du parmesan.

	CALORIES	GLUCIDES (g)	PROTÉINES (g)	LIPIDES (g)	FIBRES (g)	LÉGUMES	FÉCULENTS	VIANDES ET SUBSTITUTS	GRAS
PORTION	428	60	28	11	9	2 ½	2	1	½

Bavette de bœuf
et couscous de chou-fleur (photo p. 136)

(photo p. 136)

MACÉRATION : 1 H   PRÉPARATION : 15 MIN

CUISSON : 12 MIN   PORTIONS : 4

125 ml (½ tasse) d'échalotes, hachées finement

60 ml (¼ tasse) de vin blanc

30 ml (2 c. à soupe) d'ail, haché

30 ml (2 c. à soupe) de moutarde de Dijon

30 ml (2 c. à soupe) de vinaigre de cidre

10 ml (2 c. à thé) de thym séché

2 feuilles de laurier

Sel et poivre au goût

700 g (25 oz) de bavette de bœuf

20 tomates cerises (335 g)

24 grosses asperges vertes (340 g)

15 ml (1 c. à soupe) d'huile d'olive

500 ml (2 tasses) de bouillon de poulet à teneur réduite en sodium

200 g (2 tasses) de chou-fleur, haché finement au robot culinaire

125 ml (½ tasse) de couscous sec

Jus d'un demi-citron

12 g (2 c. à soupe) d'oignon vert, haché

• Dans un sac hermétique, mélanger les échalotes, le vin blanc, l'ail, la moutarde de Dijon, le vinaigre de cidre, le thym et les feuilles de laurier. Poivrer. Ajouter la bavette et laisser mariner au réfrigérateur pendant 1 h au minimum.

• Préchauffer le four à 190 °C (375 °F).

• Dans une poêle très chaude, saisir les morceaux de bavette dans 5 ml (1 c. à thé) d'huile d'olive, 1 min de chaque côté. Saler. Réserver.

• Sur une plaque allant au four recouverte d'un papier parchemin, placer les tomates cerises et les asperges, recouvrir de 10 ml (2 c. à thé) d'huile d'olive, saler et poivrer. Sur la même plaque, déposer la bavette et cuire au four 10 min.

• Dans une casserole, porter à ébullition le bouillon de poulet, puis ajouter le chou-fleur. Saler et poivrer. Cuire 5 min, puis ajouter le couscous. Couvrir, baisser le feu, puis poursuivre la cuisson 5 min. Ajouter le jus de citron et l'oignon vert, bien mélanger. Réserver au chaud.

• Lorsque la bavette est prête, sortir du four, couvrir de papier d'aluminium et laisser reposer 5 min. Pendant ce temps, laisser les légumes au chaud dans le four.

• Pour servir, couper de fines tranches de bavette et accompagner du couscous, des tomates et des asperges.

	CALORIES	GLUCIDES (g)	PROTÉINES (g)	LIPIDES (g)	FIBRES (g)	LÉGUMES	FÉCULENTS	VIANDES ET SUBSTITUTS	GRAS
PORTION	406	37	43	10	7	3	1	1 ½	½

Lasagne à la dinde et aux légumes grillés, p. 132

Spaghetti sauce à la viande revisité, p. 134

Bavette de bœuf et couscous de chou-fleur, p. 135

Keftas de bœuf, noix de pin et raisins secs

Keftas de bœuf, noix de pin et raisins secs

PRÉPARATION : 15 MIN CUISSON : 10 MIN PORTIONS : 4

454 g (1 lb) de bœuf haché extra-maigre

¼ d'oignon (30 g), haché finement

40 g (¼ tasse) de fromage féta allégé, émietté

60 ml (¼ tasse) de raisins secs sultana, hachés

30 ml (2 c. à soupe) de noix de pin, hachées (voir aussi p. 166)

10 ml (2 c. à thé) de cumin (voir aussi p. 112, 116, 157, 170)

10 ml (2 c. à thé) de coriandre séchée (voir aussi p. 93, 100, 105, 116, 129, 151, 157, 164)

2,5 ml (½ c. à thé) de cannelle

Sel et poivre au goût

15 ml (1 c. à soupe) d'huile d'olive

2 courgettes vertes (380 g), tranchées

2 courgettes jaunes (380 g), tranchées

190 ml (¾ tasse) de bouillon de poulet à teneur réduite en sodium

190 ml (¾ tasse) de couscous sec

60 ml (¼ tasse) de tzatziki allégé du commerce

- Dans un bol, mélanger le bœuf, l'oignon, le fromage féta, les raisins secs, les noix de pin, le cumin, la coriandre et la cannelle. Saler et poivrer.

- Diviser la viande en 4 portions, puis former les keftas avec les mains en faisant 4 longues saucisses sur des brochettes de bois.

- Dans une poêle, chauffer 5 ml (1 c. à thé) d'huile d'olive et cuire les keftas 10 min en les retournant de temps en temps.

- Dans une autre poêle, chauffer le restant de l'huile d'olive et cuire les courgettes 8 min en mélangeant fréquemment. Saler et poivrer.

- Dans une casserole, porter le bouillon de poulet à ébullition, puis ajouter le couscous. Couvrir et fermer le feu. Le couscous prend environ 5 min à cuire.

- Pour servir, déposer chaque kefta sur ¼ du couscous, garnir de ¼ de la sauce tzatziki et accompagner de ¼ des courgettes sautées.

	CALORIES	GLUCIDES (g)	PROTÉINES (g)	LIPIDES (g)	FIBRES (g)	LÉGUMES	FRUITS	FÉCULENTS	VIANDES ET SUBSTITUTS	GRAS
PORTION	420	44	28	17	5	2	½	1	1	½

Poutine santé

Sauce

375 ml (1 ½ tasse) de bouillon de bœuf
    à teneur réduite en sodium

15 ml (1 c. à soupe) de farine de blé entier
    (ou sans gluten)

1 échalote grise (50 g), hachée finement

5 ml (1 c. à thé) d'huile d'olive

1 gousse d'ail, hachée

60 ml (¼ tasse) de vin blanc

Sel et poivre au goût

1 gros navet (600 g), pelé, en julienne

1 pomme de terre Russet (220 g) non
    pelée, en julienne

10 ml (2 c. à thé) d'huile d'olive

5 ml (1 c. à thé) de poudre d'ail

5 ml (1 c. à thé) de paprika

Sel et poivre au goût

75 g (⅔ tasse) de fromage mozzarella
    partiellement écrémé, râpé

- Préchauffer le four à 215 °C (425 °F).

- Dans un bol, mélanger le bouillon de bœuf avec la farine de blé entier. Réserver.

- Dans une petite casserole, faire sauter l'échalote dans l'huile d'olive à feu moyen-doux pendant 2 min. Ajouter l'ail, puis poursuivre la cuisson 30 sec.

- Ajouter le vin blanc, laisser réduire de moitié, puis ajouter le mélange de bouillon de bœuf. Porter à ébullition et laisser mijoter à feu doux 30 min. Saler et poivrer. Réserver à feu doux.

- Dans un grand bol, mélanger le navet, la pomme de terre, l'huile d'olive, la poudre d'ail et le paprika. Saler et poivrer.

- Sur 2 plaques allant au four recouvertes de papier parchemin, disposer les frites côte à côte. Cuire environ 30 min. À la mi-cuisson, retourner les pommes de terre et les navets à l'aide d'une spatule.

- Lorsque les frites sont prêtes, assembler la poutine : ajouter ¼ de la sauce sur les frites, puis parsemer de ¼ du fromage mozzarella.

	CALORIES	GLUCIDES (g)	PROTÉINES (g)	LIPIDES (g)	FIBRES (g)	LÉGUMES	FÉCULENTS	VIANDES ET SUBSTITUTS	GRAS
PORTION	421	53	19	15	10	6	½	½	1

LE NAVET : FAIBLE EN CALORIES ET RICHE EN BIENFAITS

- Aussi appelé rabiole, ce légume ferme à chair blanche se mange cru ou cuit. Composé à 90 % d'eau, il renferme plusieurs vitamines et minéraux (vitamines B et C, potassium, calcium, fer, cuivre, zinc). Comme les aliments de la famille de l'ail, le navet contient des composés soufrés, cette substance contribuant à la bonne santé, notamment à la prévention du cancer.

- Fait intéressant : il semblerait qu'il est inutile de peler un navet frais. Il suffit de le brosser !

Bœuf à l'orange

ZÉRO DIÈTE 2 •

PRÉPARATION : 5 MIN*   CUISSON : 10 MIN   PORTIONS : 4

* Peut être préparée à l'avance

400 g (14 oz) de contre-filet de bœuf désossé, le gras retiré, en lanières

10 ml (2 c. à thé) de farine tout usage non blanchie

5 ml (1 c. à thé) d'huile d'olive

2 poivrons rouges (350 g), en cubes

250 ml (1 tasse) de carottes, râpées

250 ml (1 tasse) d'oignons verts, hachés

Zeste d'une demi-orange

Jus d'une grosse orange

125 ml (½ tasse) de sauce hoisin (voir aussi p. 70, 129)

5 ml (1 c. à thé) de gingembre frais, râpé (voir aussi p. 122, 125, 151, 164)

Accompagnement (par portion)

125 ml (½ tasse) de riz basmati, cuit

- Enfariner les lanières de bœuf.

- Dans un wok, chauffer l'huile d'olive à feu moyen et cuire les lanières de bœuf 2 min de chaque côté. Réserver.

- Dans le même wok, combiner les poivrons, les carottes et l'oignon vert. Cuire 5 min, puis ajouter le zeste et le jus d'orange, la sauce hoisin et le gingembre.

- Ajouter le bœuf au mélange et cuire environ 2 min.

	CALORIES	GLUCIDES (g)	PROTÉINES (g)	LIPIDES (g)	FIBRES (g)	LÉGUMES	FRUITS	FÉCULENTS	VIANDES ET SUBSTITUTS	SUCRE
PORTION	289	30	26	7	4	2	¼	–	1	1
ACCOMPAGNEMENT	114	25	3	1	1	–	–	1	–	–

Découvrez ce que le gingembre peut faire pour vous !

Offert dans la section des fruits et légumes de votre supermarché, le gingembre est depuis longtemps utilisé dans l'alimentation asiatique. On lui prête de nombreux bienfaits, mais le plus impressionnant est assurément son fort potentiel anticancéreux, puisqu'il possède plus de 40 composés antioxydants. Voici quelques-unes de ses autres vertus :

- capacité de contrer les nausées et vomissements, lors de la grossesse ou encore en cas de mal des transports ;
- pouvoir anti-inflammatoire ;
- soulagement des crampes menstruelles ;
- soulagement des migraines ;
- réduction des symptômes du rhume et de la grippe ;
- impact positif sur la digestion.

Tranché, haché ou râpé, vous pouvez intégrer le gingembre frais aux boissons chaudes, aux vinaigrettes, aux marinades et même aux desserts !

Attention, le gingembre peut interférer avec certains médicaments et suppléments. Si vous prenez des médicaments, mieux vaut vérifier auprès de votre médecin ou de votre pharmacien avant de consommer du gingembre.

À LA DÉCOUVERTE DU PANAIS

- On n'a pas tendance à cuisiner le panais, ce légume racine blanc, cultivé au Québec, qui ressemble étrangement à la carotte. Pourtant, il est une source de vitamines B_6 et B_9, d'acide folique, de potassium et de magnésium, entre autres. Sa teneur en fibres insolubles contribue à prévenir la constipation.

- Consommez-le comme la carotte, c'est-à-dire en potage, en sauté, en purée, en crudités ou râpé dans une salade. Il se conserve jusqu'à 2 semaines au réfrigérateur.

Pâté chinois avec pommes de terre au fromage

2 pommes de terre Russet (500 g), pelées, en cubes

1 navet moyen (475 g), pelé, en cubes

2 panais (175 g), pelés, en cubes

125 ml (½ tasse) de lait 1 %

120 g (1 tasse) de fromage cheddar allégé*, râpé

Sel et poivre au goût

1 oignon (120 g), haché

10 ml (2 c. à thé) d'huile d'olive

2 gousses d'ail, hachées

454 g (1 lb) de veau haché maigre

500 ml (2 tasses) de maïs en grains congelé, décongelé et égoutté

2,5 ml (½ c. à thé) de paprika

*18 % m.g.

Accompagnement (par portion)

125 ml (½ tasse) de brocoli, en bouquets, cuit à la vapeur (ou légume équivalent, voir p. 24)

- Préchauffer le four à 190 °C (375 °F).
- Dans une casserole d'eau bouillante et salée, cuire les pommes de terre, le navet et les panais environ 20 min. Égoutter.
- À l'aide d'un pilon, réduire en purée lisse le mélange de pommes de terre et de légumes. Ajouter le lait et le fromage. Saler et poivrer. Réserver.
- Dans une poêle, cuire l'oignon dans l'huile d'olive à feu moyen-doux pendant 5 min. Ajouter l'ail et le veau haché. Saler et poivrer. Cuire environ 8 min pour bien caraméliser la viande.
- Dans un plat rectangulaire de 32 × 22 cm (13 × 9 po) allant au four, déposer la viande cuite. Ajouter le maïs, puis étendre la purée de pommes de terre et de légumes. Saupoudrer de paprika et cuire au four 30 min.

	CALORIES	GLUCIDES (g)	PROTÉINES (g)	LIPIDES (g)	FIBRES (g)	LÉGUMES	FÉCULENTS	VIANDES ET SUBSTITUTS
PORTION	381	42	29	12	5	2	1 ½	1
ACCOMPAGNEMENT	29	6	2	1	2	1	–	–

Escalopes de veau à l'italienne

100 g de linguines au blé entier

4 petites escalopes de veau (240 g)

Sel et poivre au goût

10 ml (2 c. à thé) de farine tout usage
   non blanchie

150 g (1 ½ tasse) de haricots verts, parés

5 ml (1 c. à thé) d'huile d'olive

60 ml (¼ tasse) de vin blanc

190 ml (¾ tasse) de bouillon de poulet
   à teneur réduite en sodium

10 ml (2 c. à thé) de câpres

Zeste et jus d'un demi-citron

27 g (2 c. à soupe) de pesto du commerce
   (voir aussi p. 47, 64, 88, 114)

15 ml (1 c. à soupe) de persil frais, haché
   (voir aussi p. 134, 152)

· Dans une casserole d'eau bouillante, cuire
les pâtes selon les indications sur l'emballage.
Égoutter et réserver.

· Étendre les escalopes sur une assiette, saler et poivrer, puis les enfariner des deux côtés.

· Dans une petite casserole, porter 250 ml (1 tasse)
d'eau à ébullition. Cuire les haricots pendant 5 min.
Égoutter et réserver au chaud.

· Dans une poêle, chauffer l'huile d'olive à feu vif,
puis dorer les escalopes 1 min de chaque côté.
Réserver. Déglacer la poêle au vin blanc, puis ajouter
le bouillon de poulet et laisser réduire de moitié,
environ 3 min. Ajouter les câpres, le zeste de citron
et son jus ainsi que les escalopes. Laisser mijoter
à feu doux pendant 1 min.

· Ajouter le pesto aux pâtes. Bien mélanger.
Réserver au chaud.

· Servir la sauce au vin sur les escalopes et garnir
de persil. Accompagner chaque portion de la moitié
des pâtes et des haricots.

	CALORIES	GLUCIDES (g)	PROTÉINES (g)	LIPIDES (g)	FIBRES (g)	LÉGUMES	FÉCULENTS	VIANDES ET SUBSTITUTS	GRAS
PORTION	432	38	39	12	5	1 ½	1 ½	1 ½	½

Escalopes de veau à l'italienne

Filet de porc à la Dijon, sauce aux pommes, p. 147

Pizza jambon, champignons et mascarpone, p. 146

Aux petits oignons !

- Comme vous avez pu le remarquer, l'ail et l'oignon sont utilisés dans plusieurs recettes du livre. En les consommant quotidiennement, on peut profiter de leurs précieux bienfaits. Puisqu'ils font partie des légumes et qu'on peut les consommer à volonté, mettez-en partout, ils rehaussent toujours la saveur des plats !

- Que ce soit pour renforcer le système immunitaire ou contrer les infections comme le rhume et la grippe, c'est lorsque l'ail frais est coupé, broyé ou écrasé qu'il libère les composés sulfurés responsables de ces bienfaits. Ces composés joueraient un rôle important dans la réduction de l'incidence de différents cancers, dont ceux de l'œsophage, de l'estomac, du côlon, de l'ovaire et de la prostate.

- Les autres membres de la famille des plantes alliacées qui possèdent aussi ces propriétés sont l'oignon, le poireau, l'échalote et la ciboulette.

Pizza jambon, champignons et mascarpone (photo p. 145)

ZÉRO DIÈTE 2 •

PRÉPARATION : 5 MIN   CUISSON : 10 MIN   PORTION : 1

2 gros champignons (45 g), tranchés

2,5 ml (½ c. à thé) d'huile d'olive

Sel et poivre au goût

1 pain pita de blé entier (65 g) de 16,5 cm (6,5 po)

30 ml (2 c. à soupe) de sauce à pizza en conserve

48 g (3 tranches) de jambon très maigre

30 g (¼ tasse) de fromage mozzarella partiellement écrémé, râpé

30 ml (2 c. à soupe) de fromage mascarpone (voir aussi p. 103, 211)

Accompagnement

375 ml (1 ½ tasse) de mesclun

15 ml (1 c. à soupe) de vinaigrette balsamique à l'orange sans gras (voir recette p. 172)

- Préchauffer le four à 190 °C (375 °F).

- Dans une poêle, faire cuire les tranches de champignon dans l'huile d'olive 2 min de chaque côté. Saler et poivrer. Réserver.

- Déposer le pita sur une plaque allant au four. Y étendre la sauce à pizza, puis ajouter le jambon, le fromage mozzarella et les champignons. Disperser de petits morceaux de fromage mascarpone un peu partout sur la pizza.

- Cuire au four environ 10 min ou jusqu'à ce que le fromage soit légèrement doré.

	CALORIES	GLUCIDES (g)	PROTÉINES (g)	LIPIDES (g)	FIBRES (g)	LÉGUMES	FÉCULENTS	VIANDES ET SUBSTITUTS	GRAS	SUCRE
PORTION	422	43	27	18	6	½	2	1	1	–
ACCOMPAGNEMENT	36	9	3	1	2	1 ½	–	–	–	½

Filet de porc à la Dijon, sauce aux pommes (photo p. 145)

PRÉPARATION : 10 MIN   CUISSON : 25 MIN   PORTIONS : 4

2 gousses d'ail, hachées

30 ml (2 c. à soupe) de moutarde de Dijon

10 ml (2 c. à thé) de romarin frais, haché ou séché (voir aussi p. 109, 110)

Sel et poivre au goût

600 g (21 oz) de filet de porc

25 ml (5 c. à thé) d'huile d'olive

500 g (4 tasses) de pommes de terre grelots jaunes, coupées en quatre

30 ml (2 c. à soupe) de vinaigre de cidre

15 ml (1 c. à soupe) de jus de citron

2,5 ml (½ c. à thé) de cannelle

3 grosses pommes (400 g), pelées et tranchées

15 ml (1 c. à soupe) de sirop d'érable

60 petites asperges vertes (600 g)

- Préchauffer le four à 180 °C (350 °F).

- Dans un petit bol, mélanger l'ail, la moutarde de Dijon et le romarin, puis saler et poivrer. Répartir le mélange sur le filet de porc.

- Dans une poêle, chauffer 10 ml (2 c. à thé) d'huile d'olive à feu moyen. Dorer le filet de chaque côté (environ 5 min), puis le déposer sur une plaque allant au four. Conserver la poêle pour faire la sauce aux pommes.

- Sur la même plaque, ajouter les pommes de terre et recouvrir de 15 ml (1 c. à soupe) d'huile d'olive. Saler et poivrer. Cuire au four environ 25 min. Pour une cuisson du porc rosée, la température interne devrait être de 50 °C (122 °F).

- Environ 10 min avant la fin de la cuisson, ajouter les asperges sur la plaque et bien mélanger avec les pommes de terre. Saler et poivrer. Environ 5 min avant la fin de la cuisson, retirer le filet de porc. Réserver la viande sur une assiette et couvrir de papier d'aluminium. Garder les légumes et les pommes de terre au chaud dans le four.

- Dans la poêle utilisée pour cuire le filet, combiner le vinaigre de cidre, le jus de citron, la cannelle, les pommes et le sirop d'érable. Cuire à feu doux pendant 10 min. Gratter le fond de la poêle afin d'intégrer à la sauce tous les sucs de cuisson.

- Napper les morceaux de filet de porc de la sauce aux pommes et garnir chaque assiette de ¼ des pommes de terre et des asperges.

	CALORIES	GLUCIDES (g)	PROTÉINES (g)	LIPIDES (g)	FIBRES (g)	LÉGUMES	FRUITS	FÉCULENTS	VIANDES ET SUBSTITUTS	GRAS	SUCRE
PORTION	400	44	40	9	8	2	½	1	1 ½	½	⅓

LE CURCUMA POUR COMBATTRE LE CANCER !

- De la famille du gingembre, le curcuma est une épice d'un jaune éclatant qu'on trouve et consomme particulièrement en Inde et en Indonésie. On sait que les épices constituent une excellente façon de rehausser le goût d'un plat. Le curcuma est toutefois moins connu et peu utilisé en Occident.

- C'est grâce aux molécules responsables de sa coloration que le curcuma est bénéfique pour la santé : il contribue à empêcher la formation de caillots dans le sang, à diminuer le cholestérol sanguin, il est un puissant antioxydant et il possède un très grand potentiel anticancéreux. Que ce soit dans vos soupes, vinaigrettes, plats de viandes ou de pâtes, il suffit de 5 ml (1 c. à thé) par jour de curcuma pour tirer profit de son pouvoir anticancéreux. Assurez-vous d'ajouter du poivre à vos plats épicés au curcuma pour en améliorer l'absorption.

- Saviez-vous que le curcuma est aussi utilisé comme colorant alimentaire sous le pseudonyme « E100 » pour les confiseries, les boissons, certaines moutardes et même les produits laitiers ? Mais attention, la très faible teneur en curcuma de ces produits ne justifie pas leur consommation pour obtenir les bienfaits de l'épice !

Mijoté d'agneau marocain

PRÉPARATION : 20 MIN*   CUISSON : 45 MIN   PORTIONS : 4

* Peut être préparée à l'avance

1 oignon (120 g), haché

5 ml (1 c. à thé) d'huile d'olive

3 gousses d'ail, hachées

400 g (14 oz) d'épaule d'agneau,
  désossé, le gras retiré, en cubes

750 ml (3 tasses) de bouillon de poulet
  à teneur réduite en sodium

15 ml (1 c. à soupe) de pâte de tomates
  (voir aussi p. 109, 112, 127, 132, 134)

5 ml (1 c. à thé) de curcuma
  (voir aussi p. 105, 170)

2,5 ml (½ c. à thé) de cannelle

1,25 ml (¼ c. à thé) de piment de Cayenne

Sel et poivre au goût

1 petite courge musquée (Butternut)
  (400 g), pelée, en cubes

4 carottes (250 g), pelées, en cubes

125 g (1 ½ tasse) de haricots verts, en tronçons

60 ml (¼ tasse) de raisins secs

60 ml (¼ tasse) d'amandes hachées

Accompagnement (par portion)

125 ml (½ tasse) de couscous, cuit
  (ou autre féculent sans gluten)

- Dans une grande casserole, faire sauter l'oignon dans l'huile d'olive à feu moyen-doux pendant 5 min. Ajouter l'ail et l'agneau, puis poursuivre la cuisson 1 min.

- Ajouter le bouillon de poulet, la pâte de tomates, le curcuma, la cannelle et le piment de Cayenne. Saler et poivrer. Porter à ébullition, puis laisser mijoter doucement pendant 25 min.

- Ajouter la courge et les carottes, puis poursuivre la cuisson 20 min. Environ 10 min avant la fin de la cuisson, ajouter les haricots et les raisins secs.

- Garnir d'amandes hachées au moment de servir.

	CALORIES	GLUCIDES (g)	PROTÉINES (g)	LIPIDES (g)	FIBRES (g)	LÉGUMES	FRUITS	FÉCULENTS	VIANDES ET SUBSTITUTS	GRAS
PORTION	334	35	28	11	6	4	½	–	1	½
ACCOMPAGNEMENT	93	20	4	1	1	–	–	1	–	–

Tataki de thon au sésame

MACÉRATION : 30 MIN   PRÉPARATION : 5 MIN
CUISSON : 8 MIN   PORTIONS : 4

4 filets de thon frais (480 g)

60 ml (¼ tasse) de sauce soya à teneur
réduite en sodium (ou sans gluten)

30 ml (2 c. à soupe) de sirop d'érable

15 ml (1 c. à soupe) de gingembre frais,
râpé (voir aussi p. 122, 125, 140, 164)

60 ml (¼ tasse) de graines de sésame
noires et blanches

Sel et poivre au goût

5 ml (1 c. à thé) d'huile de sésame
(voir aussi p. 93)

4 branches de coriandre fraîche, hachées
(voir aussi p. 93, 100, 105, 116, 129, 137,
157, 164)

Accompagnement (par portion)

125 ml (½ tasse) de riz basmati, cuit

10 bok choys miniatures (250 g),
cuits à la vapeur
(ou légume équivalent, voir p. 24)

- Dans un bol, faire mariner au réfrigérateur pendant
30 min le thon avec la sauce soya, le sirop d'érable
et le gingembre.

- Retirer les morceaux de thon de la marinade
et les enrober de graines de sésame, saler et poivrer.

- Dans une petite casserole, ajouter la marinade et
porter à ébullition. Cuire 2 min. Réserver au chaud.

- Dans une poêle, cuire le thon dans l'huile de sésame
à feu moyen environ 3 min de chaque côté.
Le centre doit rester cru.

- Au moment de servir, garnir de sauce
et de coriandre.

	CALORIES	GLUCIDES (g)	PROTÉINES (g)	LIPIDES (g)	FIBRES (g)	LÉGUMES	FÉCULENTS	VIANDES ET SUBSTITUTS	GRAS	SUCRE
PORTION	273	11	31	12	1	–	–	1	½	1
ACCOMPAGNEMENT	136	28	7	1	3	2	1	–	–	–

Fish and chips de patates douces

1 grosse patate douce (425 g),
coupée en frites

15 ml (1 c. à soupe) d'huile d'olive

5 ml (1 c. à thé) de poudre d'ail

5 ml (1 c. à thé) de paprika

Sel et poivre au goût

1 gros œuf

190 ml (¾ tasse) de panko (chapelure
japonaise) (voir aussi p. 32)

60 ml (¼ tasse) de parmesan, râpé

15 ml (1 c. à soupe) de persil, haché
(voir aussi p. 134, 144)

4 morceaux de filets de morue ou de
flétan (454 g)

1 citron, en quartiers

Sauce tartare

60 ml (¼ tasse) de mayonnaise allégée

60 ml (¼ tasse) de yogourt grec
nature 0 %

15 ml (1 c. à soupe) de relish du
commerce

2,5 ml (½ c. à thé) de poudre d'ail

5 ml (1 c. à thé) de persil, haché

Sel et poivre au goût

- Préchauffer le four à 245 °C (475 °F).
- Dans un bol, mélanger la patate douce avec l'huile d'olive, la poudre d'ail et le paprika. Saler et poivrer.
- Sur une plaque allant au four recouverte d'un papier parchemin, cuire la patate douce environ 30 min en retournant les frites à la mi-cuisson.
- Dans une grande assiette, battre l'œuf. Saler et poivrer. Dans une autre assiette, mélanger la panko avec le parmesan et le persil.
- Tremper les morceaux de filets de poisson dans l'œuf, puis dans le mélange de panko. Presser la panko sur le filet pour qu'elle adhère bien. Placer les filets sur une autre plaque allant au four recouverte d'un papier parchemin. Lorsqu'il reste environ 15 à 20 min de cuisson pour les frites, mettre les filets au four.
- En attendant la fin de la cuisson, préparer la sauce tartare. Mélanger tous les ingrédients. Saler et poivrer. Séparer en 4 portions. Réserver.
- Lorsque le poisson et les frites sont prêts, garnir chaque portion d'un quartier de citron et de sauce tartare.

Accompagnement (par portion)

125 ml (½ tasse) de brocoli, en bouquets, cuit à la vapeur
(ou légume équivalent, voir p. 24)

	CALORIES	GLUCIDES (g)	PROTÉINES (g)	LIPIDES (g)	FIBRES (g)	LÉGUMES	FÉCULENTS	VIANDES ET SUBSTITUTS	GRAS
PORTION	409	41	30	13	4	–	2	1	1
ACCOMPAGNEMENT	29	6	2	1	2	1	–	–	–

Pangasius, sauce miel et pamplemousse

MACÉRATION : 30 MIN   PRÉPARATION : 10 MIN

CUISSON : 20 MIN   PORTIONS : 4

125 ml (½ tasse) de jus de pamplemousse

60 ml (¼ tasse) de vinaigre de cidre

2 gousses d'ail, hachées

10 ml (2 c. à thé) de miel

10 ml (2 c. à thé) d'huile d'olive

Sel et poivre au goût

4 filets de pangasius (ou morue, doré, merlan, tilapia) (600 g)

250 ml (1 tasse) de riz basmati brun

500 ml (2 tasses) de bouillon de poulet à teneur réduite en sodium

1 poivron rouge (175 g), tranché

1 poivron vert (175 g), tranché

1 poivron jaune (175 g), tranché

5 ml (1 c. à thé) de poudre d'ail

- Dans un bol ou un sac hermétique, mélanger le jus de pamplemousse, le vinaigre de cidre, l'ail, le miel et 5 ml (1 c. à thé) d'huile d'olive. Saler et poivrer. Ajouter les filets de poisson. Laisser mariner au réfrigérateur 30 min.

- Cuire le riz dans le bouillon de poulet selon les indications sur l'emballage.

- Dans une poêle, chauffer 5 ml (1 c. à thé) d'huile d'olive, puis ajouter les poivrons. Saler et poivrer. Cuire 6 min. Ajouter la poudre d'ail et poursuivre la cuisson 2 min.

- En même temps, dans une grande poêle, cuire les filets de poisson avec la marinade à feu moyen-vif environ 4 min de chaque côté, selon l'épaisseur des filets. Porter la sauce à ébullition.

- Servir le poisson sur le riz avec la sauce et les légumes sautés.

	CALORIES	GLUCIDES (g)	PROTÉINES (g)	LIPIDES (g)	FIBRES (g)	LÉGUMES	FRUITS	FÉCULENTS	VIANDES ET SUBSTITUTS	GRAS	SUCRE
PORTION	402	52	34	6	4	1 ½	¼	2	1 ½	¼	¼

Fajitas de crevettes à la lime

MACÉRATION : 30 MIN   PRÉPARATION : 10 MIN

CUISSON : 8-10 MIN   PORTIONS : 4 – 1 portion équivaut à 2 fajitas

36 grosses crevettes crues (1 lb),
décortiquées et déveinées

5 ml (1 c. à thé) de poudre de chili

2,5 ml (½ c. à thé) de paprika

2,5 ml (½ c. à thé) de poudre d'ail

2,5 ml (½ c. à thé) de cumin (voir aussi
p. 112, 116, 137, 170)

10 ml (2 c. à thé) d'huile d'olive

Jus et zeste d'une lime

1 gros oignon (150 g), haché

1 poivron rouge (175 g), tranché

1 poivron vert (175 g), tranché

Sel et poivre au goût

8 petites tortillas de blé entier (272 g)
de 18 cm (7 po)

125 ml (½ tasse) de salsa du commerce
(voir aussi p. 54)

125 ml (½ tasse) de crème sure allégée*
(voir aussi p. 35, 85, 169)

30 ml (2 c. à soupe) de coriandre fraîche,
hachée au goût (voir aussi p. 93, 100,
105, 116, 129, 137, 151, 164)

* 5,5 % m. g.

- Dans un bol ou dans un sac hermétique, mélanger les crevettes avec la poudre de chili, le paprika, la poudre d'ail, le cumin, 5 ml (1 c. à thé) d'huile d'olive ainsi que le jus et le zeste de lime. Laisser mariner au réfrigérateur au moins 30 min.

- Dans une poêle, chauffer 5 ml (1 c. à thé) d'huile d'olive, cuire l'oignon environ 2 min à feu moyen-doux, ajouter les poivrons et poursuivre la cuisson 5 min. Saler et poivrer. Réserver. Dans la même poêle, ajouter les crevettes et cuire environ 3 min. Saler et poivrer.

- Réchauffer les tortillas au micro-ondes environ 15 sec.

- Pour assembler les fajitas, déposer sur chacune les légumes, puis les crevettes, et garnir de 15 ml (1 c. à soupe) de salsa, de 15 ml (1 c. à soupe) de crème sure et de coriandre fraîche.

	CALORIES	GLUCIDES (g)	PROTÉINES (g)	LIPIDES (g)	FIBRES (g)	LÉGUMES	FÉCULENTS	VIANDES ET SUBSTITUTS	GRAS
PORTION	420	57	31	9	4	2	2	1	½

Pizza aux crevettes et au pesto de tomates séchées

PRÉPARATION : 10 MIN   CUISSON : 16 MIN   PORTIONS : 2

5 ml (1 c. à thé) d'huile d'olive

5 gros champignons (160 g), tranchés

60 g (¾ tasse) de poireau, tranché

Sel et poivre au goût

12 grosses crevettes crues (150 g), décortiquées, déveinées et coupées en deux sur la longueur

1 gousse d'ail, hachée

60 g (¼ tasse) de fromage ricotta allégé* (voir aussi p. 42, 127)

30 ml (2 c. à soupe) de pesto aux tomates séchées du commerce

2 pâtes à pizza à croûte mince au blé entier (120 g)

60 g (½ tasse) de fromage mozzarella sans gras, râpé

15 ml (1 c. à soupe) de basilic frais, haché

* moins de 20 % m.g.

- Préchauffer le four à 190 °C (375 °F).

- Dans une poêle, chauffer l'huile d'olive. Cuire les champignons et les poireaux environ 5 min. Saler et poivrer. Réserver.

- Dans la même poêle, ajouter les crevettes et l'ail, puis cuire 1 min. Saler et poivrer. Réserver.

- Dans un petit bol, mélanger le fromage ricotta avec le pesto.

- Déposer les pâtes à pizza sur une plaque de cuisson allant au four recouverte d'un papier parchemin. Sur chacune, étendre la sauce au pesto, le fromage mozzarella, les champignons, les poireaux et les crevettes, puis garnir de basilic.

- Cuire environ 10 min ou jusqu'à ce que le fromage soit doré.

	CALORIES	GLUCIDES (g)	PROTÉINES (g)	LIPIDES (g)	FIBRES (g)	LÉGUMES	FÉCULENTS	VIANDES ET SUBSTITUTS	GRAS
PORTION	439	40	38	16	7	2	1	1 ½	1

Saumon au fromage à la crème et tomates séchées

PRÉPARATION : 10 MIN   CUISSON : 15 MIN   PORTIONS : 4

375 ml (1 ½ tasse) de bouillon de poulet
à teneur réduite en sodium

190 ml (¾ tasse) de riz sauvage
(ou mélange de riz sauvage)

60 ml (¼ tasse) de fromage à la crème
allégé

30 ml (2 c. à soupe) de tomates séchées
dans l'huile, égouttées et hachées
(voir aussi p. 109)

15 ml (1 c. à soupe) de basilic frais, haché

Sel et poivre au goût

4 filets de saumon sans la peau (450 g)

Accompagnement (par portion)

6 choux de Bruxelles (75 g),
coupés en deux et cuits à la vapeur
(ou légume équivalent, voir p. 24)

- Préchauffer le four à 215 °C (425 °F).

- Dans une casserole, porter le bouillon de poulet à ébullition et cuire le riz selon les indications sur l'emballage.

- Dans un petit bol, mélanger le fromage à la crème, les tomates séchées et le basilic. Saler et poivrer. Répartir également sur les 4 filets de saumon.

- Sur une plaque allant au four recouverte d'un papier parchemin, cuire les filets de saumon pendant 12 à 15 min ou jusqu'à ce que la chair du poisson se défasse facilement à la fourchette.

- Servir le saumon sur ¼ du riz.

	CALORIES	GLUCIDES (g)	PROTÉINES (g)	LIPIDES (g)	FIBRES (g)	LÉGUMES	FÉCULENTS	VIANDES ET SUBSTITUTS	GRAS
PORTION	394	27	31	19	2	–	1	1	½
ACCOMPAGNEMENT	31	6	2	1	2	1	–	–	–

LES OMÉGA-3, INDISPENSABLES À NOTRE SANTÉ !

Il est essentiel de consommer régulièrement des aliments riches en oméga-3, car le corps ne peut fabriquer lui-même cet acide gras polyinsaturé. Le saumon, en plus d'être une source d'oméga-3, est une très bonne source de protéines, de vitamines et de minéraux !

Les oméga-3 comportent plusieurs effets positifs :

- ils abaissent la fréquence des maladies cardiovasculaires en diminuant le risque d'arythmie et le taux de lipides dans le sang, ce qui réduit les risques de formation de plaques d'athérosclérose ;
- ils préviennent significativement les risques de développement du cancer.

Voici quelques sources alimentaires d'acides gras oméga-3, en ordre décroissant de leur teneur en LNA, EPA et DHA (3 types d'acides gras oméga-3) : noix de grenoble fraîches, graines de lin, sardines, hareng, maquereau, saumon, huile de noix, huile de canola, truite arc-en-ciel, fèves de soya, tofu*.

Pour vous aider à atteindre votre dose d'oméga-3, visez 2 ou 3 portions de poisson par semaine ou saupoudrez des graines de lin moulues sur vos céréales ou yogourts.

*Liste adaptée du livre *Les Aliments contre le cancer*.

Tartare de saumon et canneberges à la mayo épicée

22,5 ml (1 ½ c. à soupe) de mayonnaise allégée

15 ml (1 c. à soupe) de yogourt grec nature 0 %

2,5 ml (½ c. à thé) de sauce piquante sriracha

Sel et poivre au goût

200 g (7 oz) de saumon frais, sans la peau, en petits dés

60 ml (¼ tasse) de canneberges séchées, hachées

15 ml (1 c. à soupe) de ciboulette, hachée

8 tranches (75 g) de baguette de pain multigrain, grillées (ou féculent sans gluten)

80 g (2 tasses) de mesclun

30 ml (2 c. à soupe) de vinaigrette balsamique à l'orange sans gras (voir recette p. 172)

- Dans un bol, mélanger la mayonnaise, le yogourt et la sauce piquante. Saler et poivrer. Ajouter le saumon, les canneberges et la ciboulette. Bien mélanger.

- Dans un bol, mélanger le mesclun avec la vinaigrette.

- Servir le tartare à l'aide d'un emporte-pièce et accompagner de croûtons de pain et de salade.

	CALORIES	GLUCIDES (g)	PROTÉINES (g)	LIPIDES (g)	FIBRES (g)	LÉGUMES	FRUITS	FÉCULENTS	VIANDES ET SUBSTITUTS	GRAS
PORTION	432	38	29	20	5	1	½	1	1	½

Sauté végétarien, sauce aux arachides

PRÉPARATION : 10 MIN*   CUISSON : 30 MIN   PORTIONS : 4
*Peut être préparée à l'avance

190 ml (¾ tasse) de riz sauvage

375 ml (1 ½ tasse) de bouillon de légumes
    à teneur réduite en sodium

10 ml (2 c. à thé) d'huile d'olive

½ oignon (60 g), tranché

1 gousse d'ail, hachée

500 ml (2 tasses) de chou frisé (kale), haché

540 ml (1 boîte) de lentilles brunes, rincées
    et égouttées

14 bok choys miniatures (350 g), tranchés

4 gros champignons portobellos (400 g), tranchés

Sel et poivre au goût

60 ml (¼ tasse) de coriandre, hachée (voir aussi
    p. 93, 100, 105, 116, 129, 137, 151, 157)

30 ml (2 c. à soupe) d'arachides non salées
    hachées (voir aussi p. 70, 93, 203)

Sauce aux arachides

2 gousses d'ail, hachées

60 ml (¼ tasse) d'eau

60 ml (¼ tasse) de beurre d'arachide naturel

30 ml (2 c. à soupe) de sauce soya à teneur
    réduite en sodium (ou sans gluten)

30 ml (2 c. à soupe) de vinaigre de riz

15 ml (1 c. à soupe) de sirop d'érable

5 ml (1 c. à thé) de gingembre, haché
    (voir aussi p. 122, 125, 140, 151)

Sel et poivre au goût

- Dans une casserole, cuire le riz dans le bouillon de légumes selon les indications sur l'emballage. Réserver.

- Dans un wok ou une grande poêle, chauffer l'huile d'olive à feu moyen-vif. Ajouter l'oignon et cuire 1 min. Ajouter l'ail, le chou frisé, les lentilles et les bok choys. Bien mélanger et cuire environ 2 min. Ajouter les champignons, saler et poivrer. Poursuivre la cuisson 5 min.

- Pendant ce temps, préparer la sauce aux arachides. Dans une petite casserole, bien mélanger tous les ingrédients, saler et poivrer, porter à ébullition, puis baisser le feu afin de garder la sauce chaude.

- Lorsque le riz est cuit, l'ajouter au wok avec la sauce aux arachides. Bien mélanger.

- Garnir chaque assiette de coriandre et d'arachides au moment de servir.

	CALORIES	GLUCIDES (g)	PROTÉINES (g)	LIPIDES (g)	FIBRES (g)	LÉGUMES	FÉCULENTS	VIANDES ET SUBSTITUTS	GRAS	SUCRE
PORTION	429	60	23	14	11	2	1 ½	½	1	½

PARMI LES PLUS DIGESTES DES LÉGUMINEUSES : LES LENTILLES

- Les lentilles contiennent presque autant de protéines et de fibres que de glucides. Elles font d'ailleurs partie des sources végétales qui renferment le plus de protéines et de fibres. Les aliments riches en fibres ont l'avantage de procurer rapidement un sentiment de satiété.

- Combinées à du riz et des légumes, comme dans ce sauté, les lentilles composent un excellent repas protéiné.

- Puisque sa charge glycémique est faible, il s'agit d'un aliment intéressant pour les diabétiques.

- Pour les personnes qui ressentent des inconforts ou qui ont des flatulences à la suite de la consommation de légumineuses, il est recommandé de les intégrer progressivement afin que le système digestif s'y habitue.

Pâtes au pesto, épinards et tomates cerises (photo p. 168)

PRÉPARATION : 10 MIN*   CUISSON : 15 MIN   PORTIONS : 4

* Peut être préparée à l'avance

45 g (⅓ tasse) de noix de pin
  (voir aussi p. 137)

200 g (⅔ paquet) de tofu soyeux

30 g (¾ tasse) de basilic frais, bien pressé

120 g (4 tasses) d'épinards frais

75 g (¾ tasse) de fromage parmesan,
  râpé, bien pressé

2 gousses d'ail, hachées

Sel et poivre au goût

250 g de spaghettis au blé entier

475 g (3 tasses) de tomates cerises,
  coupées en deux

- Préchauffer le four à 180 °C (350 °F).

- Griller les noix de pin au four environ 2 min afin qu'elles soient dorées. Réserver.

- Dans un robot culinaire, combiner le tofu, le basilic, 60 g (2 tasses) d'épinards, les noix de pin, le fromage parmesan et l'ail. Saler et poivrer. Réduire en sauce.

- Dans une casserole remplie d'eau bouillante salée, cuire les pâtes selon les indications sur l'emballage. Égoutter et réserver.

- Verser la sauce dans la casserole vide, remettre sur la cuisinière et cuire environ 1 min à feu doux. Ajouter les pâtes, 60 g (2 tasses) d'épinards et les tomates cerises. Cuire environ 2 min.

- Garnir de basilic au moment de servir.

	CALORIES	GLUCIDES (g)	PROTÉINES (g)	LIPIDES (g)	FIBRES (g)	LÉGUMES	FÉCULENTS	VIANDES ET SUBSTITUTS	GRAS
PORTION	408	57	20	14	8	2	2	½	1

Macaroni au fromage et au brocoli

(photo p. 168)

PRÉPARATION : 10 MIN*   CUISSON : 30 MIN   PORTIONS : 6

*Peut être préparée à l'avance

250 g (2 ½ tasses) de macaronis de blé entier

300 g (2 tasses) de courge musquée (Butternut), pelée, en dés

500 ml (2 tasses) de lait 1 %

250 ml (1 tasse) de bouillon de légumes à teneur réduite en sodium

2 gousses d'ail, hachées

5 ml (1 c. à thé) de moutarde de Dijon

5 ml (1 c. à thé) de poudre d'ail

2,5 ml (½ c. à thé) de paprika

1,25 ml (¼ c. à thé) de piment de Cayenne ou en flocons

240 g (2 tasses) de fromage cheddar allégé*, râpé

100 g (1 tasse) de fromage parmesan, râpé

Sel et poivre au goût

½ oignon (60 g), en dés

300 g (3 tasses) de brocoli, en petits bouquets

5 ml (1 c. à thé) d'huile d'olive

*18 % m.g.

- Préchauffer le four à 190 °C (375 °F).

- Porter une casserole remplie d'eau salée à ébullition et cuire les pâtes environ 8 min afin qu'elles ne soient pas complètement cuites. Réserver.

- Dans une autre casserole, cuire à feu moyen la courge avec le lait, le bouillon, l'ail, la moutarde de Dijon, la poudre d'ail, le paprika et le piment de Cayenne environ 15 à 20 min ou jusqu'à ce que la courge soit tendre.

- Mélanger le tout dans un robot culinaire. Remettre le mélange à la casserole. Ajouter 250 ml (1 tasse) de cheddar et le parmesan. Cuire à feu doux pendant 5 min afin de faire fondre le fromage. Saler et poivrer. Réserver.

- Dans une poêle, faire sauter l'oignon et le brocoli dans l'huile d'olive à feu moyen pendant 5 min. Saler et poivrer.

- Lorsque les pâtes sont prêtes, égoutter, puis ajouter le mélange de courge et de fromage ainsi que les légumes sautés. Bien mélanger et transférer dans un plat de 32 × 22 cm (13 × 9 po) allant au four. Ajouter 250 ml (1 tasse) de cheddar sur le macaroni et enfourner environ 15 min.

	CALORIES	GLUCIDES (g)	PROTÉINES (g)	LIPIDES (g)	FIBRES (g)	LÉGUMES	FÉCULENTS	LAIT ET SUBSTITUTS	VIANDES ET SUBSTITUTS
PORTION	425	48	29	15	6	2	1 ½	½	1

Pâtes au pesto, épinards et tomates cerises, p. 166

Macaroni au fromage et au brocoli, p. 167

Burritos aux haricots noirs et aux patates douces

Couscous tunisien, p. 170

Burritos aux haricots noirs et aux patates douces

PRÉPARATION : 10 MIN*   CUISSON : 17 MIN   PORTIONS : 6

* Peut être préparée à l'avance

1 oignon (120 g), haché

10 ml (2 c. à thé) d'huile d'olive

2 gousses d'ail, hachées

1 patate douce moyenne (350 g), pelée, en petits dés

1 poivron rouge (175 g), en petits dés

398 ml (½ boîte) de tomates en dés à teneur réduite en sodium

540 ml (1 boîte) de haricots noirs, égouttés et rincés

15 ml (1 c. à soupe) de poudre de chili

5 ml (1 c. à thé) de poudre d'ail

2,5 ml (½ c. à thé) de piment de Cayenne

Sel et poivre au goût

6 tortillas de blé entier (204 g) de 18 cm (7 po)

180 g (1 ½ tasse) de fromage mozzarella partiellement écrémé, râpé

1 avocat (130 g), tranché

80 ml (⅓ tasse) de crème sure allégée* (voir aussi p. 35, 85, 157)

* 5,5 % m. g.

- Dans une casserole, faire cuire les oignons dans l'huile d'olive à feu moyen-doux durant 5 min.

- Ajouter l'ail, la patate douce et le poivron. Poursuivre la cuisson 2 min, puis ajouter les tomates, les haricots, la poudre de chili, la poudre d'ail et le piment de Cayenne. Saler et poivrer. Baisser le feu et laisser mijoter 15 min ou jusqu'à ce que les patates douces soient cuites.

- Au moment de servir, réchauffer les tortillas au four ou au micro-ondes. Ajouter sur chacune ⅙ du mélange de haricots et de patates douces, et garnir de ⅙ du fromage mozzarella, des tranches d'avocat et de la crème sure. Rouler les tortillas.

	CALORIES	GLUCIDES (g)	PROTÉINES (g)	LIPIDES (g)	FIBRES (g)	LÉGUMES	FÉCULENTS	VIANDES ET SUBSTITUTS	GRAS
PORTION	417	56	20	15	10	1	2	½	1

Couscous tunisien

(photo p. 168)

PRÉPARATION : 15 MIN* **CUISSON : 25 MIN** **PORTIONS : 6**

* Peut être préparée à l'avance

5 ml (1 c. à thé) d'huile d'olive

1 oignon (120 g), haché

4 gousses d'ail, hachées

796 ml (1 boîte) de tomates en dés
à teneur réduite en sodium

540 ml (1 boîte) de pois chiches, égouttés
et rincés

1 poivron rouge (175 g), en dés

225 g (3 tasses) de chou vert, haché

5 ml (1 c. à thé) de curcuma
(voir aussi p. 105, 149)

2,5 ml (½ c. à thé) de cannelle

2,5 ml (½ c. à thé) de cumin
(voir aussi p. 112, 116, 137, 157)

2,5 ml (½ c. à thé) de piment de Cayenne

Sel et poivre au goût

45 ml (3 c. à soupe) de raisins secs

250 ml (1 tasse) de bouillon de légumes
à teneur réduite en sodium

250 ml (1 tasse) de couscous sec

160 g (1 tasse) de fromage féta allégé*

125 ml (½ tasse) d'amandes grillées sans
sel, hachées

* moins de 20 % m.g.

- Dans une grande casserole, chauffer l'huile d'olive
à feu moyen-doux, cuire l'oignon environ 2 min,
puis ajouter l'ail et poursuivre la cuisson 1 min.

- Ajouter les tomates, les pois chiches, le poivron,
le chou, le curcuma, la cannelle, le cumin
et le piment de Cayenne, puis saler et poivrer.
Couvrir et laisser mijoter à feu moyen pendant
20 min. Environ 5 min avant la fin de la cuisson,
ajouter les raisins secs.

- Pendant ce temps, dans une autre casserole,
porter le bouillon de légumes à ébullition.
Ajouter le couscous, couvrir et fermer le feu.
Le couscous met environ 5 min à cuire.

- Pour servir, mettre du couscous dans chaque
assiette, ajouter le mélange de tomates et de pois
chiches, puis garnir de ⅙ du fromage féta
et de ⅙ des amandes grillées.

	CALORIES	GLUCIDES (g)	PROTÉINES (g)	LIPIDES (g)	FIBRES (g)	LÉGUMES	FRUITS	FÉCULENTS	VIANDES ET SUBSTITUTS	GRAS
PORTION	420	60	21	16	7	2	¼	2	½	½

vinaigrettes

Vinaigrette crémeuse

PRÉPARATION : 5 MIN*   * Peut être préparée à l'avance

PORTIONS : 4 – 1 portion équivaut à 30 ml (2 c. à soupe)

45 ml (3 c. à soupe) de mayonnaise allégée
45 ml (3 c. à soupe) de yogourt grec nature 0 %
15 ml (1 c. à soupe) de vinaigre de vin rouge
10 ml (2 c. à thé) de moutarde en grains à l'ancienne
5 ml (1 c. à thé) de sirop d'érable
Sel et poivre au goût

- Dans un petit bol, mélanger tous les ingrédients. Conserver au réfrigérateur.

	CALORIES	GLUCIDES (g)	PROTÉINES (g)	LIPIDES (g)	FIBRES (g)	GRAS
PORTION	52	3	2	4	0	½

Vinaigrette balsamique à l'orange sans gras

PRÉPARATION : 5 MIN*   * Peut être préparée à l'avance

PORTIONS : 4 – 1 portion équivaut à 30 ml (2 c. à soupe)

60 ml (¼ tasse) de jus d'orange
30 ml (2 c. à soupe) de vinaigre balsamique
15 ml (1 c. à soupe) de moutarde de Dijon
15 ml (1 c. à soupe) de miel
Sel et poivre au goût

- Dans un petit bol, mélanger tous les ingrédients. Conserver au réfrigérateur.

	CALORIES	GLUCIDES (g)	PROTÉINES (g)	LIPIDES (g)	FIBRES (g)	SUCRE
PORTION	33	8	1	0	0	½

Vinaigrette crémeuse

Vinaigrette balsamique à l'orange sans gras

Vinaigrette au pamplemousse rose, p. 174

Vinaigrette passe-partout, p. 174

Vinaigrette au pamplemousse rose (photo p. 173)

PRÉPARATION : 5 MIN*   *Peut être préparée à l'avance

PORTIONS : 10 − 1 portion équivaut à 25 ml (5 c. à thé)

80 ml (⅓ tasse) d'huile d'olive
80 ml (⅓ tasse) de jus de pamplemousse rose fraîchement pressé
45 ml (3 c. à soupe) de vinaigre de vin blanc ou rouge
45 ml (3 c. à soupe) de miel
Sel et poivre au goût

• Dans un petit bol, mélanger tous les ingrédients. Conserver au réfrigérateur.

	CALORIES	GLUCIDES (g)	PROTÉINES (g)	LIPIDES (g)	FIBRES (g)	GRAS	SUCRE
PORTION	88	6	0	7	0	1	⅓

Vinaigrette passe-partout (photo p. 173)

PRÉPARATION : 5 MIN*   *Peut être préparée à l'avance

PORTIONS : 4 − 1 portion équivaut à 15 ml (1 c. à soupe)

30 ml (2 c. à soupe) d'huile d'olive
30 ml (2 c. à soupe) de vinaigre balsamique
10 ml (2 c. à thé) de moutarde de Dijon
5 ml (1 c. à thé) de sirop d'érable
0,625 ml (⅛ c. à thé) de poudre d'ail
Sel et poivre au goût

• Dans un petit bol, mélanger tous les ingrédients. Conserver au réfrigérateur.

	CALORIES	GLUCIDES (g)	PROTÉINES (g)	LIPIDES (g)	FIBRES (g)	GRAS	SUCRE
PORTION	74	3	0	7	0	½	½

desserts

Découvrez la boisson aux amandes

Que ce soit en raison d'une intolérance, d'une allergie ou de l'inflammation qu'il génère pour certaines personnes, le lait de vache ne constitue plus maintenant la seule façon de boire du «lait»! Des solutions de remplacement intéressantes ont fait leur entrée dans les épiceries, dont les laits végétaux comme les boissons de riz, de soya et aux amandes.

Quelques renseignements sur la boisson aux amandes :

- elle ne contient pas de lactose ;
- elle renferme très peu de sucre (choisissez les versions sans sucre), comparativement aux boissons de soya et de riz ;
- elle ne contient pas de gras saturé et est moins calorique que le lait entier, mais contient toutefois moins de protéines que ce dernier. Vous serez rassasié moins longtemps (la teneur en protéines de la boisson de soya est celle qui se rapproche le plus de celle du lait de vache) ;
- assurez-vous de vous procurer les versions enrichies. Elles renferment de nombreux nutriments, entre autres les vitamines A, B, D et E, du fer, du calcium, du magnésium et une bonne quantité de fibres.

Pouding de chia et petits fruits

PRÉPARATION : 5 MIN*

RÉFRIGÉRATION : 2 H AU MINIMUM (ou toute la nuit)   **PORTIONS : 2**

* Peut se préparer à l'avance

250 ml (1 tasse) de boisson aux amandes non sucrée enrichie

45 ml (3 c. à soupe) de graines de chia (voir aussi p. 60, 62)

15 ml (1 c. à soupe) de sirop d'érable

5 ml (1 c. à thé) d'extrait de vanille

250 ml (1 tasse) de petits fruits mélangés (framboises, bleuets, fraises…)

10 pacanes (14 g), hachées

· Dans un contenant refermable, mélanger la boisson aux amandes, les graines de chia, le sirop d'érable et la vanille. Fermer le contenant et agiter vigoureusement.

· Laisser reposer au réfrigérateur au moins 2 h.

· Garnir de fruits et de pacanes au moment de servir.

	CALORIES	GLUCIDES (g)	PROTÉINES (g)	LIPIDES (g)	FIBRES (g)	FRUITS	GRAS	SUCRE
PORTION	213	26	5	12	11	½	1	½

Crémeux au chocolat

PRÉPARATION : 5 MIN*   CUISSON : 1½ MIN
RÉFRIGÉRATION : 30 MIN   PORTIONS : 4
* Peut se préparer à l'avance

60 g (2 oz) de chocolat noir à 70 %

500 ml (2 tasses) de yogourt grec nature 0 %

60 ml (¼ tasse) de sirop d'érable

20 ml (4 c. à thé) de poudre de cacao non sucrée

- Mettre le chocolat dans un bol allant au micro-ondes. Faire fondre pendant 1 ½ min. Arrêter la cuisson aux 30 sec afin de mélanger le chocolat.

- Ajouter le yogourt immédiatement, ¼ de tasse à la fois, puis le sirop d'érable et le cacao. Bien mélanger. Répartir le mélange dans 4 petits pots ou bols et réfrigérer environ 30 min avant de servir.

	CALORIES	GLUCIDES (g)	PROTÉINES (g)	LIPIDES (g)	FIBRES (g)	VIANDES ET SUBSTITUTS	GRAS	SUCRE
PORTION	217	26	14	7	2	½	1	1

GRAINES DE CHIA OU DE LIN ?

Pâles ou foncées, les graines de chia possèdent plusieurs bienfaits. Elles sont notamment :

- une bonne source de fibres, excellentes pour le transit intestinal et procurant un effet de satiété ;

- une bonne source de gras polyinsaturés (près de 20 % d'oméga-3) bénéfiques pour le cholestérol, pour prévenir les maladies cardiovasculaires et pour abaisser la tension artérielle ;

- une bonne source de protéines (23 %), d'antioxydants et de minéraux.

Les graines de chia ressemblent beaucoup aux graines de lin en termes de propriétés, mais elles ont l'avantage de ne pas avoir à être moulues pour nous permettre de profiter de leurs bienfaits. Les graines de lin sont toutefois plus abordables, soit plus de deux fois moins chères que les graines de chia.

Cupcakes carottes et ananas, glaçage au yogourt

PRÉPARATION : 15 MIN*   CUISSON : 20 MIN   PORTIONS : 24

*Peut être préparée à l'avance

500 ml (2 tasses) de carottes, râpées

250 ml (1 tasse) de compote de pommes non sucrée

190 ml (¾ tasse) d'ananas en conserve, en dés

125 ml (½ tasse) de sirop d'érable

60 ml (¼ tasse) d'huile d'olive

4 gros œufs

10 ml (2 c. à thé) d'extrait de vanille

250 ml (1 tasse) de farine de blé entier

375 ml (1 ½ tasse) de farine tout usage non blanchie

60 ml (¼ tasse) de graines de lin, moulues (voir aussi p. 60, 62, 177)

10 ml (2 c. à thé) de poudre à pâte

10 ml (2 c. à thé) de cannelle moulue

5 ml (1 c. à thé) de bicarbonate de soude

2,5 ml (½ c. à thé) de muscade moulue

Glaçage

125 ml (½ tasse) de yogourt nature 0 %

250 g (1 contenant) de fromage à la crème allégé, à la température ambiante

250 ml (1 tasse) de sucre à glacer

- Préchauffer le four à 180 °C (350 °F).
- Dans un bol, mélanger les carottes, la compote de pommes, les ananas, le sirop d'érable, l'huile d'olive, les œufs et la vanille.
- Dans un autre bol, mélanger les farines, les graines de lin, la poudre à pâte, la cannelle, le bicarbonate de soude et la muscade. Incorporer les ingrédients secs au mélange humide. Bien mélanger à l'aide d'une spatule.
- Verser dans 24 moules à muffins.
- Cuire au centre du four pendant environ 20 min ou jusqu'à ce qu'un cure-dent inséré au centre d'un cupcake en ressorte sec.
- Pendant ce temps, préparer le glaçage. Mélanger tous les ingrédients à l'aide d'un batteur électrique. Réserver au réfrigérateur.
- Lorsque les gâteaux sont prêts, les laisser refroidir avant de les glacer.

	CALORIES	GLUCIDES (g)	PROTÉINES (g)	LIPIDES (g)	FIBRES (g)	FÉCULENTS	GRAS	SUCRE
PORTION	167	25	4	6	2	½	½	1

Petits gâteaux renversés aux ananas

 ❄

125 ml (½ tasse) de farine de blé entier

125 ml (½ tasse) de farine tout usage
   non blanchie

90 ml (⅓ tasse) de sucre de canne
   (ou cassonade)

10 ml (2 c. à thé) de poudre à pâte

1 pincée de sel

1 gros œuf

125 ml (½ tasse) de lait 1 %

30 ml (2 c. à soupe) d'huile d'olive

5 ml (1 c. à thé) d'extrait de vanille

60 ml (¼ tasse) de sirop d'érable

1,25 ml (¼ c. à thé) de cannelle moulue

500 ml (2 tasses) d'ananas frais, en dés

- Préchauffer le four à 180 °C (350 °F).

- Dans un grand bol, mélanger les farines, le sucre
  de canne, la poudre à pâte et le sel.

- Dans un autre bol, mélanger, l'œuf, le lait, l'huile
  d'olive et la vanille.

- Incorporer les ingrédients secs au mélange humide.
  Bien mélanger à l'aide d'une spatule.

- Dans 8 ramequins, diviser également le sirop
  d'érable, soit 7,5 ml (1 ½ c. à thé) par ramequin,
  et la cannelle, soit une bonne pincée par ramequin.
  Ajouter les ananas, puis verser le mélange de
  gâteau par-dessus.

- Cuire au four de 25 à 30 min ou jusqu'à ce qu'un
  cure-dent inséré au centre d'un gâteau en ressorte
  sec.

- Laisser les gâteaux tiédir, puis, à l'aide d'un
  couteau, les décoller du moule et les renverser
  sur une assiette.

	CALORIES	GLUCIDES (g)	PROTÉINES (g)	LIPIDES (g)	FIBRES (g)	FRUITS	FÉCULENTS	GRAS	SUCRE
PORTION	172	32	3	4	2	¼	½	½	1

Biscuits double chocolat

125 ml (½ tasse) de farine de blé entier

250 ml (1 tasse) de farine tout usage
    non blanchie

125 ml (½ tasse) de poudre de cacao
    non sucrée

100 g (½ tasse) de pépites de chocolat
    noir à 70 %

1,25 ml (¼ c. à thé) de bicarbonate
    de soude

1 pincée de sel

1 gros œuf

125 ml (½ tasse) de compote de pommes
    non sucrée

60 ml (¼ tasse) d'huile d'olive

125 ml (½ tasse) de sucre de canne
    (ou cassonade)

5 ml (1 c. à thé) d'extrait de vanille

- Préchauffer le four à 190 °C (375 °F).

- Dans un bol, combiner les farines, la poudre
  de cacao, les pépites de chocolat, le bicarbonate
  de soude et le sel.

- Dans un autre bol, à l'aide d'un batteur électrique,
  mélanger pendant 1 min l'œuf avec la compote
  de pommes, l'huile d'olive, le sucre de canne et
  l'extrait de vanille. Incorporer aux ingrédients secs.
  Bien mélanger.

- Sur une plaque allant au four recouverte d'un
  papier parchemin, former 12 gros biscuits à l'aide
  d'un emporte-pièce. Aplatir avec une fourchette.

- Cuire au four 10 à 12 min.

	CALORIES	GLUCIDES (g)	PROTÉINES (g)	LIPIDES (g)	FIBRES (g)	FÉCULENTS	GRAS	SUCRE
PORTION	194	25	4	10	3	½	1	1

UN PLAISIR NON COUPABLE : LE CHOCOLAT NOIR !

- On trouve dans la fève de cacao des polyphénols, cette grande famille de composés phytochimiques jouant un rôle dans la prévention du cancer. Un carré de chocolat noir (50 g) contient 2 fois plus de polyphénols qu'un verre de vin rouge (125 ml).

- C'est aussi pour son effet bénéfique sur le système cardiovasculaire que la consommation de chocolat noir, à 70 % au moins, est recommandée. Offrez-vous-en jusqu'à 20 g par jour pour en retirer les bienfaits !

Carrés de gâteau au fromage au beurre d'arachide et au chocolat

PRÉPARATION : 10 MIN*   CUISSON : 12 MIN

RÉFRIGÉRATION : 3 H   PORTIONS : 12

* Peut être préparée à l'avance

250 ml (1 tasse) de chapelure de biscuits Graham

30 ml (2 c. à soupe) d'huile d'olive

30 ml (2 c. à soupe) de compote de pommes non sucrée

125 ml (½ tasse) de fromage à la crème allégé, à la température ambiante

125 ml (½ tasse) de yogourt grec nature 0 %

125 ml (½ tasse) de beurre d'arachide naturel

125 ml (½ tasse) de sirop d'érable

4 g (½ sachet) de gélatine en poudre

30 ml (2 c. à soupe) d'eau

100 g (½ tasse) de pépites de chocolat noir mi-sucré

- Préchauffer le four à 180 °C (350 °F).

- Dans un bol, mélanger la chapelure de biscuits Graham, l'huile d'olive et la compote de pommes. Verser le mélange de chapelure dans un moule carré de 18 cm (8 po) et bien presser. Cuire au four environ 12 min. Laisser refroidir.

- Dans un autre bol, mélanger le fromage à la crème, le yogourt, le beurre d'arachide et le sirop d'érable.

- Dans un petit bol, mélanger la gélatine avec l'eau, mettre au micro-ondes 30 sec, puis ajouter au mélange de fromage à la crème.

- Verser le mélange de fromage sur la croûte.

- Garnir le dessus de pépites de chocolat. Couvrir et mettre au réfrigérateur au moins 3 h avant de servir.

- Tailler en 12 carrés.

	CALORIES	GLUCIDES (g)	PROTÉINES (g)	LIPIDES (g)	FIBRES (g)	FÉCULENTS	GRAS	SUCRE
PORTION	205	20	6	13	2	¼	1	½

Crème glacée beurre d'arachide, bananes et chocolat

   ❄

CONGÉLATION : 2 H   PRÉPARATION : 5 MIN*   PORTIONS : 2

*Peut être préparée à l'avance

2 bananes (240 g), pelées

20 ml (4 c. à thé) de beurre d'arachide naturel

15 ml (1 c. à soupe) de poudre de cacao non sucrée

60 ml (¼ tasse) d'eau

· Congeler les bananes à l'avance. Pour ce faire, les couper en morceaux et les mettre dans un sac hermétique.

· Au moment de faire la recette, sortir les bananes du congélateur et laisser reposer environ 5 min.

· Dans un mélangeur, réduire tous les ingrédients en un mélange homogène. Si la crème glacée est trop molle, remettre le mélange dans un plat hermétique au congélateur pendant 30 min.

	CALORIES	GLUCIDES (g)	PROTÉINES (g)	LIPIDES (g)	FIBRES (g)	FRUITS	GRAS
PORTION	175	32	5	6	4	1	1

Sundae exotique

1 mangue (300 g), pelée et tranchée

30 ml (2 c. à soupe) de miel

Zeste et jus d'une lime

30 ml (2 c. à soupe) de noix de coco non sucrée râpée (voir aussi p. 32, 204, 208)

500 ml (2 tasses) de yogourt glacé à la vanille du commerce

- Dans une poêle, à feu doux, cuire les mangues, le miel, le zeste et le jus de lime ainsi que la noix de coco pendant 5 min.

- Dans 4 petits bols, mettre des boules de 125 ml (½ tasse) de yogourt glacé. Diviser en quatre le mélange de mangue et servir sur les boules de yogourt glacé.

	CALORIES	GLUCIDES (g)	PROTÉINES (g)	LIPIDES (g)	FIBRES (g)	FRUITS	LAIT ET SUBSTITUTS	GRAS	SUCRE
PORTION	202	40	3	5	2	½	1	½	½

collations

Croûtons de chèvre aux poires

PRÉPARATION : 5 MIN   CUISSON : 15 MIN

PORTIONS : 4 — 1 portion équivaut à 3 croûtons

12 tranches (100 g) de baguette de pain de blé entier

125 g (1 bûchette) de fromage de chèvre allégé*

1 poire (175 g), coupée en 12 tranches

30 ml (2 c. à soupe) de miel ou de sirop d'érable

10 pacanes (14 g), hachées

*12 % m.g.

- Préchauffer le four à 180 °C (350 °F).
- Sur une plaque allant au four, déposer les tranches de pain, puis les tartiner de fromage de chèvre.
- Ajouter sur chacune des tranches les morceaux de poire, puis garnir de miel (ou de sirop d'érable) et de pacanes.
- Cuire au four environ 15 min.

	CALORIES	GLUCIDES (g)	PROTÉINES (g)	LIPIDES (g)	FIBRES (g)	FRUITS	FÉCULENTS	VIANDES ET SUBSTITUTS	GRAS	SUCRE
PORTION	202	28	8	8	4	¼	½	½	¼	½

3 BONNES RAISONS
DE MANGER DE L'AVOCAT

L'avocat est reconnu pour sa haute teneur en gras, mais ceux-ci sont très bénéfiques pour la santé. Il est donc calorique mais mérite amplement sa place dans le cadre d'une alimentation saine. En plus du fait qu'il contient de nombreuses vitamines, voici 3 raisons de manger de l'avocat.

1. Il est rempli d'antioxydants et de caroténoïdes : il ralentit le vieillissement, protège contre la dégénérescence maculaire et réduit les risques d'infarctus, entre autres.

2. Il est rempli de fibres alimentaires, qui sont nécessaires au bon fonctionnement du système digestif puisqu'elles facilitent le transit intestinal et nous rassasient plus longtemps.

3. Il stabilise la glycémie : il possède un index glycémique faible et empêche les pics de glycémie après les repas.

Trempette guacamole sans remords

PRÉPARATION : 5 MIN*
PORTIONS : 3 – 1 portion équivaut à ¼ tasse
*Peut être préparée à l'avance

40 g (1 tasse) de jeunes épinards

½ avocat (75 g), tranché

60 ml (¼ tasse) de fromage à la crème allégé

Zeste et jus d'une demi-lime

15 ml (1 c. à soupe) de coriandre, hachée (voir aussi p. 93, 100, 105, 116, 129, 137, 151, 157, 164)

0,625 ml (⅛ c. à thé) de poudre d'ail

Sel et poivre au goût

Accompagnement (par portion)

½ pain pita de blé entier (ou sans gluten) (32 g) de 16,5 cm (6 po), grillé

· Au robot culinaire, réduire les ingrédients en purée.

	CALORIES	GLUCIDES (g)	PROTÉINES (g)	LIPIDES (g)	FIBRES (g)	LÉGUMES	FÉCULENTS	GRAS
PORTION	89	5	3	7	2	¼	–	½
ACCOMPAGNEMENT	85	18	4	1	2	–	1	–

Chips de kale et parmesan

PRÉPARATION : 5 MIN*   CUISSON : 12-15 MIN   PORTIONS : 3

* Peut être préparée à l'avance

300 g (1 botte) de chou frisé (kale), tiges retirées, en morceaux d'environ 5 cm (2 po) carrés

125 ml (½ tasse) de fromage parmesan, râpé

15 ml (1 c. à soupe) d'huile d'olive

5 ml (1 c. à thé) de vinaigre balsamique

2,5 ml (½ c. à thé) de poudre d'ail

Sel et poivre au goût

- Préchauffer le four à 180 °C (350 °F).
- Dans un bol, mélanger le chou frisé, le parmesan, l'huile d'olive, le vinaigre balsamique et la poudre d'ail. Saler et poivrer.
- Recouvrir de papier parchemin 2 ou 3 plaques allant au four et y étaler les morceaux de chou en évitant de les superposer.
- Cuire au four environ 12 à 15 min ou jusqu'à ce que les chips soient croustillantes. Attention de ne pas les laisser brunir !

	CALORIES	GLUCIDES (g)	PROTÉINES (g)	LIPIDES (g)	FIBRES (g)	LÉGUMES	VIANDES ET SUBSTITUTS	GRAS
PORTION	160	10	10	10	2	2	⅓	½

SI CE N'EST PAS DÉJÀ FAIT, DÉCOUVREZ LE KALE !

Le kale est un légume de la famille des choux qui a monté récemment en popularité. Il est délicieux et peut être apprêté de bien des façons : dans les soupes, les salades ou tout simplement en chips. Ses propriétés nutritionnelles sont remarquables.

- Une portion de 40 g (½ tasse) seulement comblerait plus de 600 % de nos besoins quotidiens en vitamine K, qui jouerait un rôle dans la protection contre l'ostéoporose et les maladies cardiovasculaires.

- Sa teneur en vitamines et minéraux est grandement supérieure à bien d'autres légumes.

- On lui reconnaît aussi la capacité de réduire les risques de cancer, de protéger le système immunitaire et de contribuer à la santé des yeux.

Trempette de hummus étagée

2 pains pitas de blé entier (ou sans gluten)(128 g) de 16,5 cm (6 po), coupés en pointes

250 ml (1 tasse) de hummus du commerce

½ concombre (160 g), en petits dés

½ poivron rouge (88 g), en petits dés

60 ml (¼ tasse) d'olives noires, dénoyautées et tranchées

80 g (½ tasse) de fromage féta allégé*, émietté

Sel et poivre au goût

* moins de 20 % m.g.

· Préchauffer le four à 180 °C (350 °F).

· Recouvrir de papier parchemin une plaque allant au four et y déposer les pointes de pain pita. Cuire 5 min pour qu'elles deviennent croustillantes.

· Dans un grand bol, déposer en étages le hummus, puis les morceaux de concombre, de poivron, d'olives et de fromage féta.

· Servir avec les morceaux de pitas croustillants.

	CALORIES	GLUCIDES (g)	PROTÉINES (g)	LIPIDES (g)	FIBRES (g)	LÉGUMES	FÉCULENTS	VIANDES ET SUBSTITUTS	GRAS
PORTION	217	24	10	10	6	½	1	¼	½

Prenez goût au beurre d'arachide... naturel

- Il est riche en protéines, mais surtout en bons gras. En effet, il contient près de 3 fois plus de gras que de protéines ; c'est d'ailleurs la raison pour laquelle les beurres de noix sont classés dans la catégorie des gras (voir le tableau des pages 18 à 20).

- Le principal critère à respecter lors de l'achat du beurre d'arachide : assurez-vous qu'il est composé d'un seul ingrédient, soit des arachides ! Évitez le sucre, le gras et le sel ajoutés.

- Évitez aussi les versions allégées, car leur teneur en calories est pratiquement la même que la version normale et elles comportent des huiles hydrogénées.

- Les autres beurres de noix possèdent les mêmes caractéristiques que le beurre d'arachide. Vous pouvez donc varier et expérimenter ! Méfiez-vous toutefois du fameux beurre de noisette chocolaté. Il renferme seulement 14 % de noisettes et 4 fois moins de protéines que les beurres de noix. Surtout, près de 80 % du produit est constitué de sucre et de mauvais gras... Bref, ça ressemble plus à du glaçage à gâteau !

Barres tendres au beurre d'arachide et aux canneberges

440 ml (1 ¾ tasse) de flocons d'avoine

125 ml (½ tasse) de farine de blé entier

125 ml (½ tasse) de canneberges séchées

60 ml (¼ tasse) de sucre de canne
(ou cassonade)

60 ml (¼ tasse) d'arachides non salées
hachées (voir aussi p. 70, 93, 164)

1 gros œuf

125 ml (½ tasse) de beurre d'arachide
naturel

60 ml (¼ tasse) d'huile d'olive

60 ml (¼ tasse) de compote de pommes
non sucrée

- Préchauffer le four à 190 °C (375 °F).
- Dans un bol, mélanger les flocons d'avoine, la farine de blé entier, les canneberges, le sucre de canne et les arachides.
- Dans un autre bol, mélanger l'œuf, le beurre d'arachide, l'huile d'olive et la compote de pommes.
- Incorporer les ingrédients secs aux ingrédients humides en mélangeant délicatement.
- Recouvrir de papier parchemin une plaque à biscuits et y étendre uniformément la préparation.
- Cuire au four 20 min ou jusqu'à ce que le dessus des barres soit légèrement doré.
- Laisser refroidir, puis tailler en 16 barres.

	CALORIES	GLUCIDES (g)	PROTÉINES (g)	LIPIDES (g)	FIBRES (g)	FRUITS	FÉCULENTS	GRAS	SUCRE
PORTION	174	19	5	10	2	¼	½	1	¼

Barres tendres au chocolat et à la noix de coco

PRÉPARATION : 5 MIN*   CUISSON : 15-20 MIN   PORTIONS : 16

*Peut être préparée à l'avance

500 ml (2 tasses) de flocons d'avoine

100 g (1 barre) de chocolat noir à 70 %, haché finement

125 ml (½ tasse) de farine de blé entier

60 ml (¼ tasse) de sucre de canne (ou cassonade)

60 ml (¼ tasse) de noix de coco non sucrée râpée (voir aussi p. 32, 190, 208)

1 gros œuf

125 ml (½ tasse) d'huile d'olive

60 ml (¼ tasse) de sirop d'érable

5 ml (1 c. à thé) d'extrait de vanille

- Préchauffer le four à 190 °C (375 °F).

- Dans un bol, mélanger les flocons d'avoine, le chocolat, la farine, le sucre de canne et la noix de coco.

- Dans un autre bol, mélanger l'œuf, l'huile d'olive, le sirop d'érable et l'extrait de vanille.

- Incorporer les ingrédients secs aux ingrédients humides en mélangeant délicatement.

- Recouvrir de papier parchemin une plaque à biscuits et y étendre uniformément la préparation.

- Cuire au four 15 à 20 min ou jusqu'à ce que le dessus des barres soit légèrement doré.

- Laisser refroidir, puis tailler en 16 barres.

	CALORIES	GLUCIDES (g)	PROTÉINES (g)	LIPIDES (g)	FIBRES (g)	FÉCULENTS	GRAS	SUCRE
PORTION	211	20	3	12	2	½	1	⅓

Et si vous remplaciez le sucre par...

- **Le sucre de coco** : il ressemble au sucre blanc et peut être utilisé en même quantité. Il a l'avantage d'avoir un index glycémique très bas.

- **Les édulcorants naturels** : le stévia et le xylitol proviennent d'une plante appelée *Stevia rebaudiana* et de divers végétaux, dont l'écorce de bouleau, respectivement.

  Le stévia sucre de 100 à 300 fois plus que le sucre blanc. Vous pouvez donc en mettre beaucoup moins pour obtenir le même goût (2 g de stévia = 100 g de sucre). Il ne renferme aucune calorie. On le retrouve en poudre et en liquide.

  Le xylitol a quant à lui le même goût et le même pouvoir sucrant que le sucre blanc. Il contient toutefois 40 % moins de calories que ce dernier. Lors de la cuisson, son goût sucrant augmente, alors tenez-en compte dans vos recettes !

- **Le sirop d'agave** : puisqu'il possède un goût neutre, il est pratique pour la cuisine. Comme le sucre de coco, son index glycémique est très bas, mais il sucre 3 fois plus que le sucre blanc. On peut donc réduire du tiers la quantité pour obtenir le même goût sucré.

Galettes avoine, amandes et raisins

125 ml (½ tasse) de farine de blé entier

125 ml (½ tasse) de farine tout usage
non blanchie

125 ml (½ tasse) de flocons d'avoine

125 ml (½ tasse) d'amandes tranchées

125 ml (½ tasse) de raisins secs
ou de canneberges séchées

1,25 ml (¼ c. à thé) de bicarbonate
de soude

1 pincée de sel

1 gros œuf

60 ml (¼ tasse) de compote de pommes
non sucrée

60 ml (¼ tasse) d'huile d'olive

125 ml (½ tasse) de sucre de canne
(ou cassonade)

5 ml (1 c. à thé) d'extrait de vanille

- Préchauffer le four à 180 °C (375 °F).

- Dans un bol, mélanger les farines, les flocons
d'avoine, les amandes, les raisins secs,
le bicarbonate de soude et le sel.

- Dans un autre bol, à l'aide d'un batteur électrique,
mélanger l'œuf, la compote de pommes, l'huile
d'olive, le sucre de canne et l'extrait de vanille
pendant 1 min. Incorporer aux ingrédients secs
et bien remuer.

- Recouvrir de papier parchemin une plaque
à biscuits. Former 10 galettes à l'aide d'un emporte-
pièce et les aplatir avec une fourchette.

- Cuire au four 10 à 12 min.

	CALORIES	GLUCIDES (g)	PROTÉINES (g)	LIPIDES (g)	FIBRES (g)	FRUITS	FÉCULENTS	GRAS	SUCRE
PORTION	194	27	4	9	2	¼	½	1	½

Boules d'énergie

PRÉPARATION : 10 MIN*

PORTIONS : 6 – 1 portion équivaut à 2 boules

*Peut être préparée à l'avance

125 ml (½ tasse) de dattes de type Medjool, dénoyautées, bien pressées

80 ml (⅓ tasse) de noix de coco non sucrée râpée (voir aussi p. 32, 190, 204)

80 ml (⅓ tasse) de pacanes, hachées

45 ml (3 c. à soupe) de poudre de cacao non sucrée

15 ml (1 c. à soupe) de beurre d'arachide naturel

· Dans un robot culinaire, combiner les dattes, 60 ml (¼ tasse) de noix de coco, les pacanes, le cacao et le beurre d'arachide. Bien mélanger jusqu'à l'obtention d'une purée lisse.

· Former 12 petites boules avec les mains.

· Dans un petit bol, ajouter le reste de la noix de coco et en enrober les boules.

	CALORIES	GLUCIDES (g)	PROTÉINES (g)	LIPIDES (g)	FIBRES (g)	FRUITS	GRAS
PORTION	137	16	3	9	4	½	1

Dattes au mascarpone et aux pacanes

PRÉPARATION : 5 MIN*

PORTIONS : 5 — 1 portion équivaut à 2 dattes

* Peut être préparée à l'avance

90 ml (⅓ tasse) de fromage mascarpone
(voir aussi p. 103, 146)

10 ml (2 c. à thé) de sirop d'érable

0,625 ml (⅛ c. à thé) de cannelle moulue

10 (230 g) grosses dattes de type
Medjool, dénoyautées

10 pacanes (14 g)

- Dans un bol, mélanger le fromage mascarpone, le sirop d'érable et la cannelle.

- Farcir chaque datte du mélange de mascarpone et d'une pacane.

	CALORIES	GLUCIDES (g)	PROTÉINES (g)	LIPIDES (g)	FIBRES (g)	FRUITS	GRAS
PORTION	174	31	2	6	3	2	1

Mélange de noix sucrées et épicées

PRÉPARATION : 5 MIN*   CUISSON : 20 MIN
PORTIONS : 12 — 1 portion équivaut à 2 c. à soupe
* Peut être préparée à l'avance

250 ml (1 tasse) de noix de cajou
   non salées
125 ml (½ tasse) de pacanes
60 ml (¼ tasse) de graines de citrouille
   non salées
5 ml (1 c. à thé) de cari
5 ml (1 c. à thé) de miel
5 ml (1 c. à thé) d'huile d'olive
5 ml (1 c. à thé) de poudre d'ail
2,5 ml (¼ c. à thé) de piment de Cayenne
Sel et poivre au goût

Accompagnement (par portion)

125 ml (½ tasse) de yogourt grec
   à la vanille 0 %

- Préchauffer le four à 135 °C (275 °F).
- Dans un grand bol, mélanger tous les ingrédients. Saler et poivrer.
- Recouvrir de papier parchemin une plaque allant au four et bien y répartir le mélange de noix.
- Cuire au four 20 min en remuant occasionnellement.
- Laisser le mélange refroidir avant de consommer.

	CALORIES	GLUCIDES (g)	PROTÉINES (g)	LIPIDES (g)	FIBRES (g)	LAIT ET SUBSTITUTS	GRAS
PORTION	112	6	3	9	1	–	1
ACCOMPAGNEMENT	92	12	11	0	0	1	–

Index

Index alphabétique

⏱ Index des recettes qui se préparent en moins de 30 minutes

217

Index des recettes végétariennes

Index des recettes qui peuvent être préparées à l'avance

ZÉRO DIÈTE 2

Références

Béliveau, R. et Gingras, D., *Les Aliments contre le cancer – La prévention du cancer par l'alimentation*, Éditions du Trécarré, Montréal, 2005.

Béliveau, R. et Gingras, D., « Role of nutrition in preventing cancer », *Canadian Family Physician*, novembre 2007, vol. 53, n° 11, p. 1905-1911.

Diabète Québec et Santé et Services sociaux Québec, *Guide d'alimentation pour la personne diabétique*, Gouvernement du Québec, 2008.

Giampieri, F. et coll., « Strawberry as a health promoter : an evidence based review », *Food & Function*, 24 mars 2015.

Gingras, D., Béliveau, R., « Colorectal cancer prevention through dietary and lifestyle modifications », *Cancer Microenvironment*, août 2011, vol. 4, n° 2, p. 133-139.

Harvard Women's Health Watch, « 12 "superfoods" you should be eating. Want to improve your health and prevent disease? Incorporate these nutrition-packed foods into your diet », mars 2013, vol. 20, n° 7, p. 7.

Xiao, X. et coll., « Preventive effects of cranberry products on experimental colitis induced by dextran sulphate sodium in mice », *Food Chemicals*, 15 janvier 2015, vol. 167, p. 438-446.

Sites web consultés

Chroniques de Richard Béliveau dans le *Journal de Montréal* : www.journaldemontreal.com/auteur/richard-beliveau

Diabète Québec : www.diabete.qc.ca

Passeport Santé : www.passeportsante.net

Extenso : www.extenso.org

Ministère du Développement durable, de l'Environnement et de la Lutte contre les changements climatiques : www.mddelcc.gouv.qc.ca/

Santé Canada : www.hc-sc.gc.ca/

Plaisirs santé : www.plaisirssante.ca

Le Devoir : www.ledevoir.com

Mercola : www.mercola.com

Franchement Santé : www.jydionne.com

Radio-Canada : ici.radio-canada.ca/actualite/

Protégez-vous : www.protegez-vous.ca/

Remerciements

Karine et Sophie souhaitent remercier :

Richard Blais, président de Nautilus Plus, pour son soutien à la réalisation du projet.

Marie-Josée Cabana, Dt.P., coordonnatrice en nutrition chez Nautilus Plus, pour son implication et son expertise.

Alyssa Fontaine-Reid, Dt.P., coordonnatrice en nutrition chez Nautilus Plus, pour sa collaboration à l'analyse nutritionnelle des recettes.

Mona Lelièvre, pour sa précieuse collaboration dans l'élaboration des recettes et son assistance à la réalisation des photos.

Chad Armstrong, pour ses encouragements soutenus et ses commentaires pertinents, en particulier lors du processus de création des recettes.

Chacun des membres du comité de dégustation et d'évaluation des recettes (Josée Larocque, Sylvie Chauvin, Isabelle Clément, Mona Lelièvre, Pamela Sauro, Marie-Eve Nadeau, Isabelle Paris, Vanessa Baron, Pierre-Alexandre Hoff, Caroline Proulx, Luc Chauvin, Jessy Boucher, Jonathan Decelles, Rosanne Charland, Martin Légaré, Pierre-Yves Ostiguy, Marie-Josée Després) pour la rigueur de leur contribution.

Richard Béliveau, d'avoir accepté de préfacer ce livre. Sa généreuse et continuelle collaboration est bien appréciée.

Lindy Langhame pour la traduction de l'ouvrage en langue anglaise.

Marie-Eve Gélinas et toute l'équipe du Groupe Librex pour leur précieuse collaboration.

Cet ouvrage a été composé en The Sans Light 8,75/11
et achevé d'imprimer en août 2015 sur les presses
de Imprimerie Transcontinental, Beauceville, Canada.